Alguém me tocou

Senhor, Tu me olhaste nos olhos
A sorrir, pronunciaste meu nome
Lá na praia, eu larguei o meu barco
Junto a Ti, buscarei outro mar[1]

[1] Trecho da canção A Barca, composição de Cesáreo Gabarin.

Sumário

1. Alguém me tocou 8
2. Dor é aprendizado 15
3. Tenho sede 21
4. Autossuperação 29
5. Limpeza interior 35
6. De volta pra casa 41
7. Confia no Cristo 48
8. Vida nova 55
9. Tenho fome e frio 61

10. Nosso nome está escrito no Céu 68

11. Lei do Auxílio 73

12. Unidos a Jesus..80

13. Sem pedras na mão 86

14. Recomeçar 93

15. Companheiros do Cristo................................102

16. Os Sete Passos da Felicidade 108

17. Sepultem os seus mortos 116

18. Jesus quer os seus frutos 124

19. Purificação interior 130

20. Sem amor eu nada seria 137

21. Renunciar ao mal..146

22. Entrar na festa 155

23. Já consegue ir? 163

24. Como está o nosso cesto? 170

25. O que você faz de especial?...........................177

26. Conhecer e mudar..183

27. A maior tentação na Terra 190

28. Alguém o espera 197

29. Vigiem comigo 204

30. Até o fim dos tempos....................................210

Breves palavras

Comecei a escrever este livro na manhã de Natal de 2011. Eu sentia necessidade de aprofundar minha relação com Jesus. Escrever um livro sobre seus ensinamentos seria um bom começo para isso. E o Dia de Natal era uma boa data para iniciar o projeto.

Abri a Bíblia ao acaso e deparei-me com a passagem da mulher enferma que tocou as vestes de Jesus e foi imediatamente curada. Ela não pediu licença a ele para tocá-lo. Simplesmente pegou em suas vestes com fé ardente. E algo muito profundo deve ter ocorrido, porque Jesus afirmou a Pedro, que estava ao seu lado: *Alguém me tocou*.

E fiquei com esta expressão de Jesus na mente. Por que o Mestre fez questão de frisar o aspecto de ter sido tocado? Ele poderia muito bem dizer, por exemplo: *Curei alguém* ou coisa parecida. Mas não! Ele quis frisar o gesto de ter sido tocado, certamente porque tal conduta lhe pareceu importante, significativa. Foi neste momento que decidi o rumo que tomaria para escrever o livro.

    Nossa relação com Jesus, como toda relação humana, é bilateral. Há mais de dois mil anos temos ouvido que Jesus nos procura, que ele vem ao nosso encontro, que nos toca e nos cura. Mas, e nós? O que temos feito de Jesus? Temos ido até ele? Chegamos ao ponto de tocá-lo, como fez a mulher hemorrágica? Ou estamos no sofá, esperando que ele faça seus milagres, enquanto aguardamos de braços cruzados, sofrendo por manter uma fé cômoda e sem obras?

    Estou certo de que, de alguma forma, Jesus deseja ser tocado por nós, porque isso implica uma relação de proximidade com ele. Tocamos as pessoas que estão próximas a nós. Você não consegue tocar quem está distante. Jesus quer que nos aproximemos dele. Quer manter conosco uma relação de amizade. Quer quebrar a frieza espiritual que resulta, muitas vezes, da ideia de um Jesus muito distante de nós, um Jesus nas alturas, olhando de vez em quando para nós, de binóculo.

    Mas não é este o Jesus que se vê no Evangelho! E foi isso que tentei passar nas páginas deste singelo livro. O Cristo está nas ruas, nos hospitais, nos presídios, nos lares, nos becos e nas profundezas do abismo do sofrimento humano. E, se você está com este livro nas mãos, é certo que ele esteja também ao seu lado, esperando, o quanto antes, também ser tocado por você.

    Se eu conseguir pelo menos promover este encontro entre vocês, meus esforços já terão valido a pena. Minha vida não será mais a mesma.

Com todo o meu carinho,
JOSÉ CARLOS DE LUCCA, INVERNO DE 2012

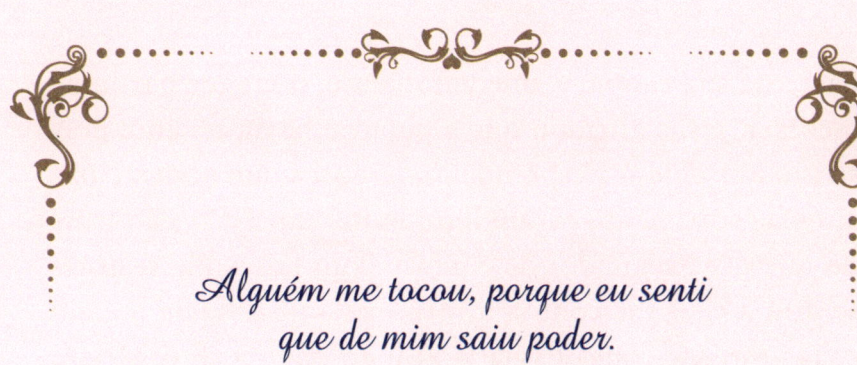

*Alguém me tocou, porque eu senti
que de mim saiu poder.*
Jesus (Lucas 8, 46)

Este "alguém" que tocou Jesus era uma mulher que havia doze anos estava com uma hemorragia ininterrupta, e que havia gasto tudo o que tinha com médicos e remédios, sem conseguir se curar. É possível imaginar a aflição e o desespero desta mulher. As dores provocadas pelas cólicas contínuas, sem falar no preconceito existente na época em relação às mulheres no período menstrual. Acreditava-se que elas se tornavam espiritualmente impuras nesta fase, e, por isso, não podiam tocar as pessoas, tampouco ser tocadas.

Jesus caminhava espremido entre a multidão, e aquela mulher enferma e desesperada, mas ardente na fé, foi ao encontro do Mestre e, sem que ele visse, tocou a barra da sua roupa, e, imediatamente, o sangue parou de escorrer. Jesus afirmou que alguém o havia tocado, pois sentiu que dele se desprendeu uma força, um poder. Doze anos de sofrimento foram liquidados em talvez não mais do que doze segundos de contato com Jesus. Ela se apresentou a ele e lhe contou a razão pela qual havia tocado suas vestes, e como havia sido logo curada. E o Mestre afirmou:

Minha filha, você sarou porque teve fé. Vá em paz.[2]

Eu me pergunto: Por que aquela mulher, com um gesto tão simples, alcançou cura tão prodigiosa? Tenho certeza de que não foi o mero gesto exterior de tocar as vestes de Jesus que possibilitou a sua cura. O Mestre não diz que ela foi curada porque o tocou, mas porque teve fé. E fé é um sentimento de confiança que se deposita na realização de determinada coisa.[3] Portanto, a fé depende unicamente da nossa atitude interior de confiança em Deus e em nós mesmos. Os gestos que exteriorizam uma atitude de fé nada representam, se não tivermos este sentimento de irrestrita confiança no poder divino que está, ao mesmo tempo, dentro e fora de nós.

Na cura, importa muito mais o que fazemos interiormente do que os nossos gestos exteriores. Posso estar de joelhos diante do altar; posso estar com a Bíblia nas mãos, com o crucifixo pendurado no pescoço, mas, se não tiver fé, nada disso me levará à cura. Se a mulher hemorrágica tivesse simplesmente tocado as vestes de Jesus, sem fé, nenhuma cura teria ocorrido.

---

2   Lucas 8, 48.
3   *O Evangelho Segundo o Espiritismo*, Allan Kardec.

Aprendamos com esta mulher a tocar Jesus com fé. Tocar é entrar em contato, é ligar-se. Não é ficar distante, como, muitas vezes, estamos do Cristo. Ela o tocou querendo ardentemente se fundir com o coração do Mestre. Ela tocou o Mestre com a alma, e não simplesmente com as mãos. Ela não esperou Jesus ir ao seu encontro; ela foi ao encontro de Jesus. Ela não ficou em casa com o choro da revolta ou da descrença, que apenas nos empurram ainda mais ao fundo do poço.

Não! Ela saiu de casa, mesmo com a hemorragia, mas saiu com o pranto da esperança e da fé e, vencendo a multidão que se aglomerava em torno do Cristo, conseguiu tocá-lo sem mesmo lhe dirigir previamente qualquer palavra ou solicitação. Ela sabia que não precisaria falar com ele. Sabia que nem seria preciso que ele a visse. Ela estava convencida de que, simplesmente, ao entrar em comunhão com o Divino Amigo pelos canais da fé, seria curada. E foi assim que aconteceu. Quantos ensinamentos esta mulher tem a nos dar!

Creio que nós também padecemos de alguma espécie de hemorragia. Estamos cansados, sem energias que nos sustentem, sem ânimo diante dos obstáculos da vida. As tensões e preocupações excessivas com a vida material nos apartaram do sentido real da nossa vida, que é a conquista dos tesouros espirituais. Ainda que possamos desfrutar dos bens materiais, nossa missão nesta vida não é comprar, adquirir, ostentar, possuir. É preciso lembrar constantemente que somos, essencialmente, Espíritos em viagem de adiantamento na face da Terra, e que as tarefas que desempenhamos no mundo material objetivam desenvolver as qualidades do nosso Espírito imortal, especialmente a bondade e a inteligência.

Por isso é que nossa alma somente se alimenta das coisas espirituais. Quando esquecemos estas verdades, surge um problema de desabastecimento espiritual que repercute em nossa vida física, na forma de doenças, relacionamentos conflituosos, problemas financeiros e sensação de vazio existencial. O Espírito é o centro da nossa vida na matéria. É quem sustenta a vida física em nós. Um corpo sem Espírito não passa de um cadáver.

Nosso problema é querer materializar o Espírito, quando, na verdade, precisamos espiritualizar a matéria. Daí por que uma vida centrada apenas em seus próprios interesses (egoísmo) e voltada exclusivamente aos valores terrenos (materialismo) deixará o Espírito desvitalizado, com todas as consequências a isso inerentes na esfera física. Esta era a doença espiritual da mulher hemorrágica, e, por que não dizer, da grande maioria de nós.

Aquela mulher se cura quando, pelos canais condutores da fé, se liga à fonte amorosa de Jesus. Tocar as suas vestes é o simbolismo de tocar o coração de Jesus. Ela entrou em contato com o amor do Cristo, alimentou-se da poderosa energia do Mestre, saciando a fome de seu Espírito carente de amor. E nós também podemos fazer o mesmo. Aliás, o próprio Cristo foi quem disse:

> *Eu sou o pão da vida; aquele que vem a mim não terá fome; e quem crê em mim nunca terá sede.*[4]

---

4   João 6, 35.

Sendo Jesus o pão da vida, precisamos nos alimentar deste pão, mas, para isso, precisamos ir até ele, como fez a mulher enferma. Que o exemplo vivo desta mulher heroica possa animar a nossa fé, a fim de que nós também possamos entrar em contato real com o Cristo, tocando-lhe os ensinamentos sublimes, alimentando-nos do seu amor sem tamanho e limite, para que, a partir disso, possamos entrar no clima de paz e harmonia, no qual toda cura se realiza de dentro para fora.

Vamos, levante-se do chão do desespero! Faça algo em favor da sua melhora e do seu progresso! Não conte as dificuldades que você encontrará; mire apenas a solução que deseja e creia que pode encontrá-la. Se não conseguir andar, vá se arrastando com toda a fé, como fez a mulher enferma quando procurou ser curada, mas não fique largado no chão da inércia, pois, ainda hoje, Jesus está esperando ser tocado por você.

ORAÇÃO

Amigo Jesus, estou me sentindo fraco, sem forças para me levantar. A doença se abateu sobre mim. O fracasso me visitou. O medo quer tomar conta de mim. Mas hoje vim ao seu encontro. Estou me arrastando, mas estou aqui, diante de você. Eu toco as suas vestes com a mesma fé da mulher hemorrágica. Eu nem preciso dizer o que tenho e o que sinto, pois sei que você sabe de tudo. Muito antes de eu estar aqui, você já sabia que hoje eu viria procurá-lo e se pôs à minha espera.

Toco suas vestes e, imediatamente, sinto um calor percorrer meu corpo. Sinto, verdadeiramente, que seu amor me cura, sua paz me acalma e sua energia me encoraja. Obrigado, Jesus, por este encontro. Nunca mais quero me afastar de você. Nunca mais quero viver longe do seu amor.

*Felizes os que choram,
pois Deus os consolará.
Jesus (Mateus 5, 4)*

Há aparente contradição neste ensinamento de Jesus. Como é possível alguém ser feliz, se está chorando? Quem chora, provavelmente, está triste e, se está triste, não poderia estar feliz. Mas a contradição desaparece quando lemos a parte final da frase. Os que choram são felizes porque Deus os consolará. A consolação alivia o choro, faz secar as nossas lágrimas, pois traz a luz da verdade sobre o nosso pranto. E Jesus afirmou que, quando conhecemos a verdade, esta verdade nos liberta.[5]

A consolação prometida por Jesus resulta da compreensão da justiça das nossas lágrimas. Ninguém sofre

---

[5] João 8, 32.

sem razão, sem uma causa que justifique o seu pranto. Do ponto de vista espiritual, as dificuldades pelas quais hoje passamos foram criadas por nós mesmos, nesta vida ou em vidas precedentes.[6] Geralmente, as lágrimas que hoje derramamos são as mesmas que ontem provocamos no próximo. A dor que ontem causamos aos outros é a dor que hoje nos atinge. Como explica Emmanuel:

Cada criatura reencarnada permanece nas derivantes de tudo o que fez consigo e com o próximo.[7]

Por isso, hoje eu me consolo, pois sei que há uma razão justa para o meu sofrimento; que não sou vítima de nenhum "engano" da Justiça Cósmica. A posição de vítima que muitos de nós assumimos diante dos problemas que nos acometem é uma das piores tragédias que nos poderiam acontecer, pois nos faz sentir injustiçados perante a vida. E a vítima não age; chora improdutivamente, revolta-se contra tudo e contra todos, e permanece à espera de um salvador que possa resolver suas dores.

Seremos consolados quando chorarmos a partir da compreensão de que não sofremos sem uma justa razão de ser e que nossas lágrimas não representam castigos de Deus, mas apenas o débito que contraímos no passado de hoje ou de ontem, com a possibilidade de refazermos nosso caminho, nosso modo de ser e de agir, eliminando, assim, as causas do nosso sofrimento.

Convertamos a dor em aprendizado para a nossa alma. Aceitemos a prova como recurso divino, destinado a

---

6 *O Evangelho Segundo o Espiritismo*, Allan Kardec, Cap. V.
7 *Leis de Amor*, psicografia de Francisco Cândido Xavier, edições FEESP.

retificar nossos passos na Terra, expulsando as nuvens da revolta e do desânimo que ainda pairam sobre o nosso coração e estimulando os nossos potenciais de crescimento perante a vida. Deus não nos castiga, e os problemas que hoje arrancam nossas lágrimas são recursos divinos sem os quais não sairíamos do lugar onde estacionamos na rota da evolução. A dificuldade não é punição celestial, mas, sim, oportunidade de progresso que Deus nos proporciona.

Portanto, somos felizes quando temos problemas a resolver, porque, assim, vamos nos harmonizando com a Lei Divina que ontem desprezamos. E, por meio do esforço que realizamos para superar os obstáculos que nós mesmos criamos, vamos crescendo, material e espiritualmente. E, quanto mais crescimento conseguirmos alcançar, mais alegria e felicidade seremos capazes de sentir.

Jesus não nos prometeu uma vida sem atribulações.[8] Por isso, o Mestre nos pede coragem para vencer as aflições. Ele mesmo chorou, sofreu, foi traído, abandonado e, por fim, crucificado. Mas afirmou que, apesar de todos os padecimentos, havia vencido. Jesus mudou a história do mundo, dividindo-a em duas etapas: antes e depois dele.

O mundo não teria avançado tanto no terreno da fraternidade sem a influência de Jesus. O amor ensinado e vivido pelo Mestre, à custa da sua própria vida, vem humanizando a Terra e impedindo que uma grande catástrofe nos destrua por completo. Esta conquista somente foi possível por força das muitas lágrimas que o Mestre

---

8   João 16, 33.

derramou. Você também mudará a história da sua vida, se souber transformar lágrimas em sorrisos, espinhos em flores, fracassos em vitórias.

Enfrentar desafios, perdas, obstáculos é inevitável a todos nós. Faz parte das provas que temos de enfrentar para atingir o nosso crescimento moral e intelectual. A dor nos humaniza, torna-nos mais humildes e fraternos em relação à dor do próximo e nos ensina a valorizar as coisas essenciais da vida, às quais, na maioria das vezes, só damos valor quando perdemos. Não raras vezes, é somente no leito de um hospital que aprendemos a valorizar a saúde. Amiúde, somente damos valor à vida na iminência de perdê-la. Quantas vezes constatamos a importância de uma pessoa quando ela se vai de nosso convívio!

As carências materiais são as grandes molas propulsoras do nosso progresso, pois, por meio delas, somos convidados a desenterrar os talentos que Deus nos concedeu, como a inteligência, a perseverança, a criatividade e o trabalho que somos capazes de realizar.

Quando você estiver chorando, mas chorando com humildade e com o propósito de aprender a lição que a vida está querendo lhe ensinar, tenha certeza de que suas lágrimas estarão tocando o coração de Jesus, e ele estará pronto para aliviar seu pranto e indicar o caminho que você deve seguir.

ORAÇÃO

Meu bom Jesus, eu sei que você consegue ver as lágrimas de dor e sofrimento que rolam pelos meus olhos. Estou doente, sofro injustiças e incompreensões. A aflição tem sido minha companheira nos últimos tempos. Mas hoje aprendi que nada me ocorre sem que haja um propósito divino para a minha vida.

Aprendi que Deus está querendo me levar para uma situação melhor do que aquela que eu desejei. Ajude-me, Cristo amigo, a entender que, se eu fui a causa dos problemas de agora, posso ser também a solução. E que as minhas lágrimas de hoje possam irrigar o solo da felicidade que está, desde agora, nascendo em minha vida.

Que assim seja!

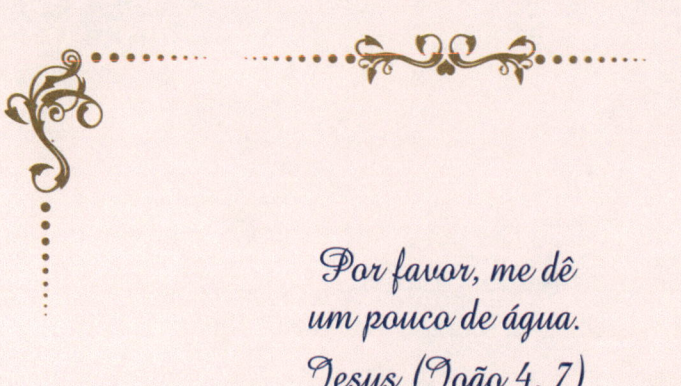

*Por favor, me dê
um pouco de água.*
Jesus (João 4, 7)

Em suas constantes peregrinações, certo dia, Jesus deixou a Judeia para regressar à Galileia, região onde cresceu e viveu por muito tempo. No trajeto, o Mestre e seus discípulos passaram pela região da Samaria. Era uma parada perigosa para Jesus, em razão da grande rivalidade política, racial e religiosa existente entre judeus e samaritanos. Jesus era judeu. Bem que seus discípulos quiseram alterar a rota de regresso à Galileia, desviando-se do caminho da Samaria. Mas Jesus fez questão de passar por aquela região. E, mais do que isso, Ele parou para descansar na Samaria, mais precisamente na cidade de Sicar, para desespero dos discípulos, que temiam que acontecesse algum incidente com os samaritanos.

Narra o Evangelho que, por volta do meio-dia, Jesus, cansado da viagem, sentou-se perto do Poço de Jacó. Uma mulher samaritana aproximou-se para tirar água do poço, e foi naquele momento que Jesus lhe dirigiu a palavra, pedindo um pouco de água. A atitude do Mestre foi de causar verdadeiro escândalo para os padrões sociais de então. Os judeus não se relacionavam com os samaritanos, nem mesmo se falavam. Os judeus se achavam uma raça superior aos samaritanos e jamais se prestariam a pedir favor exatamente a alguém da Samaria. Tanto é assim que a mulher respondeu a Jesus:

O Senhor é judeu, e eu sou samaritana. Então, como é que o senhor me pede água?[9]

Mas um dos objetivos de Jesus com aquele inusitado encontro com a samaritana era o de quebrar o preconceito e a inimizade existentes entre os homens, mostrando a eles que todos são irmãos uns dos outros, filhos do mesmo Pai. Segundo Juan Arias, teólogo e jornalista, a grande meta de Jesus se traduz hoje na ideia moderna de solidariedade, um mundo sem violência, ódio, inveja e vingança.[10] Estou certo de que o Mestre sonda o poço da nossa vida, estimulando-nos a vencer as barreiras que nos separam uns dos outros, até que a bandeira da solidariedade esteja definitivamente hasteada entre nós. Não por outra razão, no Sermão da Montanha, Jesus chegou a afirmar:

---

9 João 4, 9.
10 *O Grande Segredo de Jesus*, Editora Objetiva.

> *Bem-aventurados os mansos, porque*
> *eles herdarão a Terra.*[11]

Com tal postulado, confirma-se que o plano de Jesus é transformar a Terra num planeta fraterno e solidário, onde não haja mais espaço para o preconceito, a guerra e a ira. E o planejamento divino somente se concretizará com homens mansos, isto é, com homens brandos, dóceis e pacíficos. As grandes transformações da Terra já estão eclodindo, e quem não estiver afinado com os propósitos do Cristo, provavelmente, não encontrará mais espaço para futuras reencarnações em nosso planeta.

Aproximando-se da mulher samaritana, e mantendo com ela um diálogo rico de bênçãos, Jesus dá o exemplo da mansuetude e da fraternidade, já que ele é quem toma a iniciativa do encontro, e o faz com extrema humildade ao pedir água àquela que era a representação da raça inimiga dos judeus. O exemplo de Jesus nos convida a irmos ao encontro daqueles que estão distantes de nós pela quebra dos laços de amizade. Nosso intento deve ser o de buscar a reconciliação, e a melhor tática para que isso aconteça é nos aproximarmos, humildes, pedindo um copo de água. Lembro que Chico Xavier costumava pedir preces para muitos daqueles que o ofendiam, argumentando que passava por grandes dificuldades (o que não era mentira) e que, por isso, necessitava de orações. Com semelhante atitude, Chico Xavier desfez muitos laços de incompreensão.

---
11 Mateus 5, 5.

Percebo, também, na atitude de Jesus com a mulher samaritana, a sua intenção clara de estabelecer conosco uma relação de intimidade. Ele não se coloca acima de nós. Ele deseja estar ao nosso lado, e, para tanto, não se furta a nos pedir um pouco de água. Ele dá um sinal muito claro de que caminha conosco na condição de amigo, e não tem vergonha de nos pedir um copo de água. Jesus tem sede. E o que temos feito para saciar a sua sede? Talvez você esteja se perguntando: Como seria possível hoje encontrar o Mestre para oferecer-lhe um pouco de água? Eu também já me fiz esta pergunta, pois queria saber onde procurar Jesus. E foi Chico Xavier quem me deu o endereço:

A face de Jesus! Desde a escola primária perguntava a mim mesmo como seria o semblante dele, o Benfeitor incomparável! Muito cedo, caminhei para a mediunidade e indagava dos espíritos amigos como seriam os traços fisionômicos do Senhor. Os benfeitores espirituais me determinavam procurá-lo nas crianças doentes e desamparadas, e nas pessoas abatidas, sofredoras, andrajosas ou feridas.[12]

Quantas destas pessoas já passaram por nós neste dia? Algumas delas, certamente. Não estão apenas nos hospitais, nas ruas, nos presídios. Estão também em nossos ambientes de trabalho e, até mesmo, no seio da nossa própria família. Hoje, conseguimos nos conectar com o mundo por intermédio da *Internet*. Tomamos conhecimento quase

---

12   *Chico Xavier, o médium dos pés descalços*, Carlos A. Baccelli, Vinha de Luz Editora.

imediato sobre tudo o que acontece nas regiões mais longínquas do planeta. No entanto, muitas vezes, estamos cegos e surdos para o que acontece com as pessoas à nossa volta. Estamos próximos das pessoas distantes, e nos afastamos das pessoas próximas, muitas das quais estão precisando de um copo de água, da nossa atenção e carinho.

Jesus se esconde na face dos sofredores e está esperando um pouco de água que lhe possamos oferecer. Tocamos Jesus quando lhe saciamos a sede na pessoa de alguém que sofre as dores do corpo e da alma. Quantas vezes vamos a um templo religioso querendo ter um encontro com o Cristo, e nos posicionamos diante de quadros e altares, esperando tocar Jesus! E, quando saímos, nosso coração continua fechado para o sofrimento de tantas pessoas que cruzam o nosso caminho. Foi Jesus quem veio nos encontrar, e nós viramos o rosto para Ele.

A mulher samaritana não virou o rosto para Jesus. Movida por um impulso irresistível, tomou da vasilha, encheu-a de água e apresentou-a a Jesus, o qual, após beber e dar de beber a João, disse à samaritana que aquele encontro representava uma felicidade, porque ele tinha poder para dar-lhe de beber uma água cujo poço nunca se extinguiria e que vertia para a eternidade.[13]

Eu observo nesta passagem as bases por meio das quais se estabelece o socorro espiritual. Antes de oferecer a água da vida à mulher samaritana, Jesus pede um pouco de água para si mesmo. É por isso que nós, que tanta água temos

---

13   *O Redentor*, Editora Aliança.

pedido a Jesus, carecemos de nos perguntar quanta água temos oferecido a Ele, na pessoa de seus irmãos prediletos, ou seja, os sofredores de toda a ordem. Foi o próprio Cristo quem disse:

> *E quem der, ainda que seja apenas um copo de água fresca, a um desses pequenos, por ser meu discípulo, em verdade vos digo: não ficará sem receber sua recompensa.*[14]

Há muita gente de balde vazio estendido a Jesus, querendo que seus problemas sejam resolvidos pelo Mestre, mas pouco ou quase nada interessada em resolver, segundo as suas possibilidades, os problemas dos irmãos em aflição material ou espiritual.

São Francisco de Assis, em sua famosa *Oração da Paz*, já nos ensinou que é preciso primeiro dar para depois receber. No simples ato de saciar a sede material e espiritual de um irmão em sofrimento, estaremos com Jesus mergulhando no poço das bênçãos infinitas, de onde nunca mais teremos sede. Isto ocorreu com a samaritana. E poderá ocorrer conosco também, tudo a depender se o nosso balde está cheio ou vazio de amor.

---

14 Mateus 10, 42.

ORAÇÃO

Mestre amado, quero ir ao seu encontro. Eu preciso tanto matar a minha sede de amor e paz! Como ando sedento no deserto dos meus problemas! Quero tomar da mesma água que você ofereceu à mulher samaritana. De olhos fechados e com os lábios entreabertos, eu lhe peço que me dê do mesmo líquido que me acalma e me enche de vida nova. Esta água contém remédio para minhas dores. Esta água contém esperança para meus sofrimentos. Esta água contém solidariedade para minha solidão, contém amor para o meu coração vazio.

Oh, Mestre, deixe-me também matar a sua sede! Que ninguém mais passe por mim sem levar um pouco do meu amor e carinho. Hoje, você encheu o meu poço, e que esta água bendita eu venha a compartilhar com os sedentos do caminho.

Assim seja!

Sede, portanto, perfeitos como o vosso Pai celeste é perfeito.
Jesus (Mateus 5, 48)

Com tais palavras, Jesus esclarece qual é a nossa missão de vida: a busca da perfeição. Quando o Mestre afirma para sermos perfeitos, está implícita a ideia de que nós ainda não chegamos a tal estágio. Talvez isso seja óbvio demais para muitos. No entanto, creio que a maioria de nós se acha um tanto acomodada consigo mesma, desinteressada em seu próprio aprimoramento.

A busca da perfeição se confunde com a busca da própria felicidade. Quanto mais virtudes a pessoa adquirir, mais próxima da felicidade ela estará. Quanto mais imperfeições acumular, mais distante da felicidade ela ficará e, portanto, maior soma de problemas terá de enfrentar.[15] Distanciar-se do sofrimento implica burilamento de si mesmo. O diamante é uma pedra preciosa que precisou ser

---

15 *O Espiritismo na sua expressão mais simples,* Allan Kardec, FEB.

lapidada. Nós também somos pedras preciosas criadas por Deus, e também precisamos lapidar nossos conhecimentos e sentimentos.

Daí por que Jesus pede que busquemos a perfeição, que é o processo de lapidação do ser divino que habita em nós, eliminando as sujeiras do orgulho, removendo os cascalhos do egoísmo e limpando os detritos da mágoa, da inveja e da sensação de ser vítima do mundo. Quanto mais lapidados, mais nos aproximaremos da nossa essência, que é luz da emanação de Deus. Este é o caminho da felicidade: aprimoramento íntimo, descoberta das riquezas interiores e expansão da nossa luz interior.

O primeiro passo para o nosso aprimoramento é eliminar o orgulho, que muitas vezes nos ilude com a ideia de que já sabemos tudo e que não há nada mais a aprender. Geralmente, age assim quem já conquistou algo em sua vida, alcançou algumas vitórias e acredita que nada mais lhe resta para conhecer e melhorar. O momento mais crítico de uma empresa é quando ela chega ao sucesso. O instante mais perigoso de um relacionamento é quando um dos envolvidos acredita que já conquistou o outro. Quem acredita estar no topo de uma situação, geralmente, não enxerga os buracos bem rentes aos seus pés. O ditado de Sócrates continua de extrema valia:

Só sei que nada sei.

Nosso aprimoramento deve se abrir em duas frentes: intelectual e emocional. Precisamos desenvolver a razão e o sentimento. É claro que, nesta balança de razão e sentimento, a humanidade vem pendendo mais para o lado da razão do que para o do sentimento. Crescemos consideravelmente no terreno da razão, mas ainda somos crianças no campo dos sentimentos e emoções. Não adianta ao homem conhecer como se chega à Lua, se ele ainda não sabe como chegar ao próprio coração.

Do ponto de vista intelectual, temos de admitir que o conhecimento cresce e se multiplica numa velocidade espantosa. Os conhecimentos jurídicos que adquiri na faculdade de Direito há vinte anos não me seriam suficientes hoje ao exercício profissional. Muitas leis importantes foram promulgadas neste período, e novas concepções jurídicas foram construídas, obrigando o operador do Direito à constante reciclagem de seus conhecimentos, sob pena de ter uma atuação profissional desastrosa, por invocar leis revogadas e interpretações jurídicas ultrapassadas.

No campo das emoções, ocorre o mesmo fenômeno. Não basta termos boa inteligência racional, se nossas emoções estão desequilibradas, resultantes de um egoísmo desenfreado que nos torna agressivos, intolerantes, individualistas e sem nenhum respeito para com o próximo. A ausência de emoções e sentimentos nobres e sadios colocará em risco não apenas a nossa carreira profissional, mas, também, todos os nossos relacionamentos, pois quem há de suportar viver ao lado de uma pessoa de péssimo gênio?

Daniel Goleman, um dos mais renomados psicólogos da atualidade, esclarece que a pessoa que ele denomina de "emocionalmente inteligente" precisa desenvolver o autocontrole dos instintos e sentimento de piedade em relação ao próximo.[16] Em outras palavras, a psicologia moderna

---

16 *Inteligência Emocional,* Editora Objetiva.

ratifica os ensinamentos de Jesus. Quando o Mestre nos diz para não revidarmos uma agressão e perdoarmos aos que nos ofendem, Ele está nos ensinando a controlar os nossos instintos, porque isso nos fará muito melhores do que o ato de vingança.[17]

Quando Jesus pede para nos sensibilizarmos com a dor do próximo, prestando o socorro que nos for possível, Ele está nos ensinando a ter compaixão, porque isto nos fará muito melhores do que viver na indiferença do egoísmo.[18] Precisamos nos convencer de que estamos vivendo esta experiência na Terra para buscarmos a perfeição de que o Evangelho nos fala. Jesus não veio passar a mão na nossa cabeça e dizer:

Meu amigo, fique como está que tudo vai ficar bem.

Não! Jesus é o Mestre da transformação interior. Ele certamente está nos dizendo:

Meu amigo, mude para melhor, que você vai melhorar.

É certo que esta perfeição não se alcança da noite para o dia. Muitas pessoas se atrapalham porque desejam obter a perfeição num só golpe, e, aí, adquirem a doença da perfeição, que é o perfeccionismo. É preciso termos compaixão de nós mesmos para entendermos que nossas imperfeições não serão superadas de uma hora para a outra, mas, sim, à custa de um trabalho interior perseverante e sem data para terminar. Não tenhamos pressa de atingir a perfeição, mas também não caminhemos tão devagar, que o sofrimento tenha que vir, para nos fazer andar mais depressa.

---

17   Mateus 5, 38-42.
18   Atos 20, 35.

ORAÇÃO

Amigo Jesus, quantas vezes me sinto desanimado ao me ver tão longe da perfeição que Deus espera de mim! Escuto as palavras sagradas e me vejo tão longe desse mundo, que me parece inalcançável. Mas hoje aprendi que todas as coisas do Céu estão intimamente ligadas às coisas da Terra.

Tudo tem um sentido espiritual. Meu trabalho, minhas relações afetivas, meus amigos, minha família. Todas as situações na Terra representam salas de aula da minha educação espiritual. Peço forças, querido Mestre, para não me esquecer disso ao longo do dia.

Que eu sempre me lembre de que sou um aprendiz na escola da vida, e que os problemas são os testes de verificação do meu aprendizado. Ajude-me, Cristo Jesus, a ser um bom aluno.

Que assim seja!

> *Ai de vós, escribas e fariseus hipócritas!*
> *Limpais o copo e o prato por fora, mas por dentro*
> *estais cheios de roubo e cobiça.*
> *Fariseu cego! Limpa primeiro o copo por dentro,*
> *que também por fora ficará limpo.*
> *Jesus (Mateus 23, 25-26)*

Na passagem acima citada, Jesus dirige a sua palavra veemente a dois grupos de pessoas que lidavam diretamente com a religião: os escribas e os fariseus. Os escribas eram os professores da Lei de Moisés, interpretando-a para o povo. Portanto, profundos conhecedores dos princípios religiosos. Já os fariseus eram rigorosos observadores das práticas exteriores dos cultos e das cerimônias religiosas. Porém, escondiam costumes dissolutos, eram orgulhosos e dominadores.[19]

Com palavras fortes, Jesus adverte aqueles que buscam apenas uma vida religiosa de fachada, tal qual ocorria com

---

19 *O Evangelho Segundo o Espiritismo*, Allan Kardec, introdução, item III (notícias históricas), FEESP.

os escribas e os fariseus. A vida religiosa autêntica é aquela que vivemos no íntimo de nosso coração, e não o conjunto de atos exteriores que praticamos no templo religioso e que pode não refletir o que verdadeiramente se passa dentro de nós. Yogananda, líder espiritual no Oriente, afirmou:

O Senhor não pode ser subornado pelo tamanho da congregação de uma Igreja, nem por sua riqueza ou por sermões bem elaborados. Deus só visita os altares dos corações purificados pelas lágrimas da devoção e iluminados pelas velas do amor.[20]

Eu posso estar de joelhos diante do altar, em ato de aparente humildade perante Deus; porém, se meu coração estiver cheio de orgulho e rancor, poderei passar o dia todo naquela posição, que o máximo que conseguirei será uma tremenda dor nos joelhos. A melhor oferenda que podemos fazer a Deus é perdoar aquele que nos ofendeu. E, somente no espírito de humildade, o homem consegue perdoar. Isto é a religião verdadeira, aquela que vai por dentro de nós, e não aquela em que os atos são meras aparências.

Lembro aqui de um trecho da carta do Apóstolo Tiago:

Alguém pensa que é religioso? Se não souber controlar a língua, a sua religião não vale nada, e ele está enganando a si mesmo.[21]

Sabem por que Tiago escreveu estas palavras? Porque, logo após a crucificação de Jesus, Tiago e Matias caminhavam pela estrada em direção à cidade de Betânia, e conversavam a respeito da traição de Judas. Ambos faziam

---

20 *Assim falava Paramahansa Yogananda*, Self-Realization Fellowship.
21 Tiago 1, 26.

severas críticas ao companheiro que, num momento de fraqueza e falta de vigilância, deixou-se arrastar por ideias equivocadas, que culminaram no episódio da traição e morte de Jesus. Referiam-se a Judas em tom depreciativo, e não se cansavam de encontrar razões para taxá-lo de representante das trevas.

Mas, no decorrer da viagem, uma luz resplandecente se aproximou no caminho de Tiago e Matias. Ambos ficaram assombrados perante o quadro luminoso que surgia diante deles, e reconheceram que aquela luz era Jesus, que se aproximava. Quanta emoção passou a dominar-lhes o coração! O Mestre estendeu sua mão amorosa aos discípulos amigos, mas nada dizia. Foi então que Tiago pediu a Jesus que voltassem a Jerusalém. E o Cristo respondeu, doce e firmemente:

Não, Tiago. Não vou agora à cidade,
sigo em missão de auxílio a Judas.[22]

As palavras do Nazareno deixaram Tiago e Matias sem chão, certamente envergonhados diante da situação de se intitularem discípulos de um Mestre que perdoa, enquanto eles mesmos ainda eram severos juízes. Foi a partir deste encontro que Tiago escreveu aquelas palavras a respeito da necessidade de controlarmos a língua, pois, sem isso, a nossa religião não vale nada.

Como posso manter a hóstia sagrada na boca, se, minutos depois, encho a mesma boca de palavras malsãs? Como posso perpetuar em mim os benefícios do passe espiritual, se, logo após recebê-lo, me envolvo em comentários

---

22 *Pontos e Contos*, Irmão X, psicografia de Francisco Cândido Xavier, FEB Editora.

negativos sobre pessoas e situações, rebaixando os níveis da minha própria energia? Ainda refletindo com o Apóstolo Tiago, aprendemos que:

Para Deus, o Pai, a religião pura e verdadeira é esta: ajudar os órfãos e as viúvas em suas aflições, e não se manchar com as coisas más deste mundo.[23]

Portanto, a religião mais pura e verdadeira perante Deus é a prática da caridade. Somente o ato de fazer o bem ao próximo é capaz de fazer bem a nós mesmos. O homem de fé, mas que não se torna melhor para o seu semelhante, que não tem boas ações, está perdendo tempo e enganando a si mesmo. Novamente, ouçamos as palavras claras e fortes de Tiago:

Você tem fé, e eu tenho boas ações. E eu respondo: Então, mostre-me como é possível ter fé sem ter boas ações. Eu vou lhe mostrar a minha fé por meio das minhas ações. Você crê que há somente um Deus? Ótimo. Os demônios também creem, e tremem de medo. Seu tolo. Você quer saber de uma coisa? A fé sem boas ações não vale nada.[24]

A religião verdadeira de Jesus é limpar-se interiormente de toda a maldade e encher-se de bondade nas mãos, nas palavras e nos pensamentos. Somente quando o copo fica limpo por dentro é que ele também se limpa por fora. Eis o ensinamento do Mestre a nos mostrar que somente nos ligamos a Deus, por meio desta ou daquela religião, com o coração limpo de maldade e com as mãos cheias de caridade. É assim que Jesus se sente tocado por nós.

---

23 Tiago 1, 27.
24 Tiago 2, 18-20.

ORAÇÃO

Mestre Jesus, olho para minha vida religiosa e constato que, na maioria das vezes, estou vivendo mais de aparência do que de qualquer outra coisa.

Descubro que, dentro do templo da minha fé, sou uma pessoa que lhe tem respeito e devoção. Mas reconheço que, quando saio do templo, não sou mais a mesma pessoa. Você me ensina a amar, e meu coração anda tão fechado em meus próprios interesses!

Você me ensina a perdoar, e eu ainda me vingo das pessoas. Você me ensina a promover a paz, e eu teimo ainda em guerrear com as pessoas que me contrariam. Você me fala da humildade, e eu tantas vezes sou tão orgulhoso! Ajude-me, Mestre amigo, a não ser mais hipócrita, a não lhe procurar apenas quando um problema me atordoa e depois esquecê-lo até a próxima dificuldade.

Ensine-me a ver que suas lições são caminhos de paz e felicidade que eu devo percorrer em minha vida, e não apenas recomendar aos outros.

Assim seja!

De volta pra casa

> *Pai Nosso que estais no céu...*
> *Jesus (Mateus 6, 9)*

É DESTA MANEIRA QUE JESUS INICIA A ÚNICA PRECE QUE Ele nos deixou, a Oração do *Pai Nosso*. Muitas vezes, nós a recitamos sem refletir sobre o significado das palavras que Jesus escolheu para dialogarmos com Deus. Meditar sobre a sabedoria e profundidade das ideias escolhidas por Jesus representará para nós uma excelente terapia espiritual. Dois pontos merecem a nossa reflexão no trecho acima escolhido.

Ao principiar a oração chamando Deus de "Pai", Jesus deseja que nosso diálogo com Deus seja o de um filho conversando com o pai. Com frequência, nosso diálogo com o Criador sofre a interferência negativa das ideias equivocadas que alimentamos sobre Deus. Não raras vezes, carregamos a imagem de um Deus vingativo, bravo, mal-humorado, severo e cruel, com quem é melhor não ter nenhuma espécie de contato.

No *Antigo Testamento*, encontramos razões para ter esta visão equivocada de Deus, a qual Jesus veio reformular. Vejamos esta passagem que consta do *Velho Testamento*:

> *Saibam todos que eu, somente eu, sou Deus; não há outro deus além de mim. Eu mato e faço viver; eu firo e eu curo. Ninguém pode me impedir de fazer o que quero. Agora levanto a mão para o céu e juro pela minha vida eterna que farei isso; afiarei minha espada brilhante e começarei fazer justiça. Vou me vingar dos meus inimigos e castigar os que me odeiam. As minhas flechas ficarão manchadas de sangue, e a minha espada matará os meus inimigos. Não escapará nenhum dos que lutam contra mim; até os prisioneiros serão mortos.*[25]

Ora, o "deus" apresentado nestas palavras de Moisés seria alguém passível de tratamento psicológico! Esta imagem distorcida do *Antigo Testamento* dificulta um diálogo franco, aberto e amoroso com Deus, pois, se Ele é alguém que nos pode castigar e até nos matar, nós não nos sentimos à vontade para nos expormos, para admitirmos nossas fraquezas e nos sentirmos guiados quanto ao melhor caminho a seguir e, sobretudo, para nos sentirmos amados por aquele que nos criou, porquanto este "deus" pode, numa crise de ira, aniquilar a nossa própria existência.

---

25 Deuteronômio 32, 39-42.

Consequência disso é uma relação extremamente pobre com Deus. Uma relação de mera aparência, fundada apenas no temor, e sem a possibilidade de nos sustentar espiritualmente na travessia das dificuldades que surgem no nosso caminho. Por tal razão, desejando quebrar essa frieza e distância, Jesus nos traz a ideia de um Deus que é nosso Pai, ficando subentendida nesta relação de Pai e filho a existência de um laço de amor que os une.

Somente nos sentindo amados é que poderemos abrir o nosso coração a Deus, porque o amor implica a própria aceitação que o Pai tem em relação ao filho, pouco importando o tropeço que o filho teve e a condição em que ele hoje se encontra. O sofrimento não é castigo de Deus. É simples consequência de andarmos distantes de suas Leis. O Pai educa, orienta e ampara, jamais pune. Mas, antes de fazer tudo isso, aceita o filho como ele é. Deus não tem um amor menor por nós quando nos desviamos do caminho do bem. Deus ama o homem que enveredou pelo crime da mesma forma que ama aquele que escolheu o caminho das virtudes. É nesta plataforma de amor que se assenta a nossa relação com Deus, conforme Jesus nos apresentou.

Isso Jesus deixou bem claro na *Parábola do Filho Pródigo*. Você talvez se recorde de que, nesta história, Cristo se refere a um filho que abandona a casa do pai e vai viver pelo mundo desregradamente, gastando todo o dinheiro que seu pai lhe havia dado. Ele passa fome e toda a sorte de sofrimentos. Lembrando que, na casa de seu pai, era muito mais feliz, arrepende-se e retorna ao lar paterno, pedindo que o genitor o aceite de volta. Interpretando a parábola, concluímos, de pronto, que nós somos o filho perdido, e o pai representa a figura de Deus.

E qual foi a conduta que o pai teve quando o filho voltou? Está dito no Evangelho que, ao avistá-lo retornando para casa, o pai teve compaixão do filho, e correu para abraçá-lo e beijá-lo. E, sem qualquer admoestação ao filho rebelde, o pai mandou seus empregados trazerem a melhor roupa para seu filho, e, ainda, colocar um anel em seu dedo e sandálias em seus pés. E não ficou nisso. O pai ainda mandou que se fizesse uma grande festa para comemorar o retorno do filho que estava perdido e se encontrou.[26]

Que esta ideia do Pai que nos ama não seja para nós um mero conceito intelectual. Que ele possa descer da mente ao nosso coração, e que, a partir de então, nos possamos sentir amados pelo Criador, tal como o filho perdido foi amado pelo Pai, sobretudo nas horas em que nos percebermos fracos e inseguros e atravessando o mar das provações. Se abrirmos o nosso coração ao amor de Deus, muita coisa mudará em nossa vida, pois todos somos carentes de afeto, temos necessidade de nos sentirmos amados, e somente Deus pode nos dar o amor incondicional e permanente. Geralmente, as pessoas nos amam condicionalmente e por determinado período de tempo. O amor de Deus é incondicional e para sempre.

A segunda ideia que Jesus nos apresenta na oração, no trecho sobre o qual estamos refletindo, é a de que este Deus que é Pai e que nos ama não é apenas "meu pai", mas é o *Pai Nosso*, ou seja, é Pai de todos nós. Jesus quer nos mostrar que nós não temos um Pai exclusivo, individual. Deus

---

[26] Lucas 15, 11-22.

é Pai de todos, dos nossos familiares, amigos e inimigos, conhecidos e desconhecidos, inclusive de todos os animais.

A consequência desta realidade é que todos nós somos irmãos uns dos outros, e uma boa relação com Deus passa, necessariamente, por uma boa relação que estabelecemos com os outros filhos de Deus, os quais são nossos irmãos também, não por laços consanguíneos, mas por laços espirituais que nos foram apresentados pelo Cristo.

Assim, como iremos orar a Deus suplicando auxílio, se nos encontramos em guerra com nosso irmão? Como Deus poderá nos atender, se alimentamos ódio ou raiva por nosso irmão, que é também filho do mesmo Deus? Como o Pai pode nos ajudar, se, constantemente, negamos ajuda aos nossos irmãos, que passam necessidades, das quais nós bem que poderíamos socorrê-los? Os recursos que Deus nos concedeu devem ser compartilhados com nossos irmãos menos favorecidos. Foi para isso que Deus deu mais riqueza material e intelectual para alguns. Para que pudessem aprender a amar os que receberam menos, repartindo com eles as riquezas vindas do Alto.[27]

Se Deus não tem atendido às nossas preces, talvez seja porque ainda estejamos vivendo e orando com base no conceito de "Meu Pai", e não de "Nosso Pai".

---

27 *O Evangelho Segundo o Espiritismo*, Capítulo XVI, Allan Kardec.

ORAÇÃO

Amigo Jesus, como me sinto afastado de Deus! Como a imagem que fiz de Deus estava tão distante do Pai que me criou com tanto amor e que continua velando por mim, dia e noite. Obrigado, Mestre, por trazer Deus para tão juntinho de mim.

Obrigado, Jesus, por ter tirado as flechas e as espadas de Deus e me trazer a visão de um Deus verdadeiro, que me abraça, me beija, me veste com a melhor roupa e que é capaz de fazer festa para mim pelo simples fato de voltar para os seus braços.

Ajude-me, Jesus, a ver as pessoas como filhos deste mesmo Deus de amor e bondade, para que, assim, a minha felicidade seja completa, por viver em harmonia com a família do Pai.

Assim seja!

Confia no Cristo

Não confia no poder de Jesus?
Ele continua curando cegos, iluminando-nos
o caminho, guiando-nos os passos!
André Luiz[28]

O APÓSTOLO PAULO, EM CARTA ENVIADA AOS HEBREUS, escreveu que Jesus Cristo é o mesmo ontem, hoje e sempre.[29] O Jesus de há dois mil anos não mudou. Ele não é um mero personagem que ficou nos livros sagrados, mas alguém que continua participando da história da nossa vida. O Cristo não morreu na cruz. Libertou-se dela e continua conosco até os dias de hoje. E prosseguirá por toda a eternidade. Ele não se limita a assistir passivamente à nossa caminhada, mas participa dela ativamente, na

---

28 *Os Mensageiros*, psicografia de Francisco Cândido Xavier, FEB.
29 Hebreus 13, 8.

medida da nossa abertura para ele. Cristo está conosco tanto quanto estamos com ele.

Apoiado nesta verdade, o Espírito André Luiz, pela mediunidade de Chico Xavier, afirmou que Jesus continua curando cegos, iluminando nossos caminhos e guiando-nos os passos. Jesus é o amigo que não se ausentou. É o bom pastor que não perdeu o interesse de proteger as suas ovelhas. É por esta razão que André Luiz formula a pergunta:

Você não confia no poder de Jesus?

Cristo é o Governador Espiritual da Terra, e encontra-se aqui desde a formação do planeta, presidindo-o. Não há ninguém com autoridade superior à dele, com exceção de Deus. Cristo é a face do Pai Celestial para os homens. É o Espírito escolhido por Deus para nos servir de guia e modelo.[30] Ninguém se deve julgar perdido, pois Jesus é a nossa bússola. Ninguém se deve dizer sem conhecimento do que fazer e como agir, pois Jesus é o nosso modelo.

Como Diretor Planetário, Guia e Modelo da humanidade, encargos recebidos das mãos de Deus, Jesus tem poder sobre a Terra, tem poder sobre todos nós. Quem deseja tocar o Cristo precisa fazê-lo com a confiança de que será amparado e conduzido por sua vontade. Quando confiamos no poder do Cristo, tocamos o seu coração. A confiança é poderosa ponte que nos une a Jesus. O poder do Mestre é exercido pelo amor e, quando nos entregamos ao amor, Jesus opera maravilhas em nós!

---

30 *O Livro dos Espíritos*, questão nº 625, Allan Kardec.

Não raras vezes, porém, o sentimento da desconfiança se apodera de nós e acabamos descrendo do poder e da força do nosso Mestre. E com isso quebramos a ponte que nos une a ele, deixando a companhia do Melhor Amigo que poderíamos ter em nossa jornada pela Terra. Perdemos a confiança neste Amigo quando ele não realiza as nossas vontades. Mas o amigo sincero e leal não é aquele que nos aplaude quando estamos errados, tampouco aquele que nos oferece mais uma dose de bebida alcoólica quando já estamos embriagados. Muitas vezes, Jesus diz "não" para nós porque nos ama, pois o "sim" que gostaríamos de ouvir pode representar o derradeiro passo para o precipício de problemas ainda maiores.

Cristo continua iluminando nosso caminho de diversos modos. Ele colocou ao nosso lado os anjos guardiões, que nos protegem e nos inspiram a tomar boas resoluções.[31] Jesus envia periodicamente à Terra espíritos de maior evolução espiritual que, com seus exemplos e testemunhos, nos mostram o caminho do bem e do amor, a fim de que nós também possamos trilhar a mesma senda de felicidade. Nós vivemos pedindo que os Santos e os Bons Espíritos nos iluminem. É justo que façamos assim. Mas também é justo considerarmos a necessidade de cada um fazer brilhar a sua própria luz, conforme o próprio Cristo nos aconselhou.[32]

---

31 *O Evangelho Segundo o Espiritismo,* Capítulo XXVIII, item II, Allan Kardec.
32 Mateus 5, 16.

Jesus continua curando, seja pelas mãos dos médicos abnegados da Terra, seja pela ação dos Espíritos de Luz que, em seu nome, nos favorecem a saúde. Quantas vezes, enquanto estamos no templo religioso, ou mesmo repousando no leito, somos visitados por mensageiros espirituais que atendem em nome do Cristo e são portadores de providências benéficas para a cura das nossas enfermidades, providências que se tornariam mais frutíferas se fizéssemos da prece uma prática mais constante!

André Luiz afirma também que o Mestre continua guiando nossos passos. Como Guia Espiritual da Humanidade, Jesus simplesmente nos conclama a segui-lo, a percorrermos as estradas que ele percorreu. O Mestre continua repetindo o convite feito há dois mil anos:

Vem e segue-me.[33]

O mundo nos oferece muitos caminhos e atalhos perigosos, porque são vias onde a felicidade se insinua no começo, mas não se apresenta no fim da jornada. São caminhos fáceis, pois basta a satisfação do nosso orgulho e egoísmo em detrimento da felicidade dos outros. Mas a facilidade de caminhar nesta estrada se contrasta com o sofrimento que nos causará ao longo do percurso.

O Guia Jesus, no entanto, nos fala da estrada do amor, que leva à felicidade. É uma estrada mais difícil, pois, muitas vezes, o amor implica renúncias e sacrifícios, atitudes que hoje estão fora de moda, porque todo mundo quer ser feliz a qualquer preço, mesmo que este preço seja a

---
33   Lucas 18, 22.

desgraça do próximo. Esta estrada pede que se ande com humildade, porque o orgulho impede a presença do amor. É um caminho que evoca o desprendimento dos bens terrenos e transitórios em favor dos bens espirituais e eternos. É a estrada que exalta o perdão no lugar da vingança, que cultua a paz em prejuízo da guerra. É o caminho onde ninguém é feliz sozinho, pois a suprema felicidade é ser feliz com gente também feliz ao seu lado.

Se você estiver num país desconhecido e não souber a língua que ali se fala, tampouco se locomover para os locais desejados, precisará de um guia que lhe oriente qual direção tomar. E você seguirá todas as suas orientações, ainda que o caminho lhe pareça estranho ou difícil. Uma vez que você confia na indicação do guia, você o segue. Com Jesus se dá o mesmo. Estamos vivendo na Terra, um local de muitos perigos para o nosso Espírito ainda frágil e inseguro. Somos almas imperfeitas e facilmente tomamos atalhos perigosos para a nossa real felicidade. Mas Jesus é o guia que nos levará a uma viagem segura e feliz. Não será uma viagem fácil, mas, sem dúvida alguma, chegaremos ao destino da felicidade que tanto queremos. Mas, para que isso aconteça, precisamos confiar no Guia e segui-lo. Estamos dispostos?

ORAÇÃO

Jesus, muitas vezes, sinto-me perdido na vida. Não sei que caminho tomar diante de tantos problemas que se amontoam sobre mim. Sinto-me desorientado e, em consequência, não estou andando na vida, porque não sei que rumo seguir. Mas hoje compreendi que você é o meu Guia, o meu instrutor espiritual na vida. Sei que terei de andar com as minhas próprias pernas, mas sei também que você me mostra o caminho a seguir e o que fazer diante dos obstáculos que estão no meu caminho.

Eu tenho consultado os astros, as cartas, os sacerdotes e os médiuns. Porém, estou me esquecendo de consultar as diretrizes de vida que estão no seu Evangelho. Cristo Jesus, não estou mais perdido, embora me veja ainda distante da paz e da felicidade. Mas agora sei o que devo fazer e o caminho a trilhar. Sei que você é meu guia, meu mestre, meu amigo, e estará comigo em cada trecho da minha caminhada. Quero cumprir a sua vontade, porque sei que ela é a melhor orientação para a minha vida. Assim seja!

Vida nova

Ninguém remenda roupa velha com retalho de pano novo; porque o remendo novo encolhe e rasga a roupa velha, aumentando o buraco. Ninguém põe vinho novo em vasilhas velhas de couro. Se alguém fizer isso, as vasilhas rebentam, o vinho se perde, e as vasilhas ficam estragadas. Por isso, vinho novo é posto em vasilhas novas.
Jesus (Marcos 2, 21-22)

A RESOLUÇÃO DE QUASE TODOS OS PROBLEMAS PASSA, necessariamente, por este ensinamento de Jesus. Para coisas novas, novas ideias, novos comportamentos, novas atitudes, enfim, um novo modo de ser. Como afirmou o Mestre, numa síntese perfeita, *vinho novo é posto em vasilhas novas.* Quase todos nós, porém, queremos vinho novo, mas ainda utilizando vasilhas velhas. Pretendemos uma vida nova, mas não abandonamos as coisas velhas que estão empoeiradas dentro de nós.

Não raro, quando adoecemos, pretendemos a cura (vinho novo), porém, queremos manter os mesmos comportamentos que nos levaram à enfermidade (vasilha velha). De nada adiantará o esforço dos médicos, ou mesmo dos

Espíritos de Luz, em favor da nossa saúde, se ainda permanecermos com a vasilha velha dos comportamentos doentios, dos hábitos nocivos e dos sentimentos negativos.

A tal respeito, o Espírito Bezerra de Menezes, dedicado mensageiro do Alto, escreveu palavras esclarecedoras:

Fui médico, quando encarnado na Terra, e me preocupei em demasia com a saúde coletiva, desdobrando-me em muitos esforços para ver uma pessoa sorrir ao ter recuperado a saúde. Porém, notei mais tarde que muitos não querem se curar, por não terem interesse em mudar de vida.[34]

Muitos lutam para manter em equilíbrio os níveis de pressão arterial, tomam remédios, evitam o uso imoderado do sal, mas não combatem a irritação, a cólera e a ansiedade. Em vão, colocam o vinho novo do tratamento médico nas vasilhas de velhos comportamentos emocionais doentios. É remendo novo em pano velho! Remedeia, mas não cura.

Quantos almejam uma vida mais feliz, contudo, vivem se contaminando pelas recordações tristes do passado, que teimam em não deixar para trás, e com isso impedem a felicidade de se aproximar! Querem que Jesus lhes traga felicidade, mas não escutam o Mestre, que tanto exaltou o perdão como condição para ser feliz. As palavras "perdão" e "perdoar" aparecem constantemente na *Bíblia*, e o Cristo deu tanta ênfase ao assunto, que mandou que perdoássemos não apenas sete vezes, mas setenta vezes sete.[35] O número sete na Bíblia geralmente é interpretado como o

---

34 *Saúde*, psicografia de João Nunes Maia, Fonte Viva.
35 Mateus 18, 22.

número da perfeição. É por isso que, na visão do Cristo, ninguém progredirá na vida, nos aspectos físico, emocional, mental e espiritual, sem fazer do perdão uma prática diária.

E hoje a ciência vem comprovando esta verdade. Segundo Fred Luskin, doutor em Psicologia da Saúde pela Universidade de Stanford:

As pesquisas realizadas nessas diversas disciplinas indicam que o aprendizado do perdão beneficia as pessoas de diversos modos. Ao adquirir o Poder do Perdão, você irá sentir um desenvolvimento das emoções positivas. Obterá um acesso mais fácil aos sentimentos de esperança, solicitude, afeição, confiança e felicidade. Você irá se beneficiar por sentir menos raiva. Você se sentirá menos deprimido e desesperançado. Também desenvolverá uma maior visão espiritual, verá o mundo como um lugar mais favorável e irá se sentir mais ligado às pessoas e à natureza. Qualquer que seja a maneira do perdão ajudá-lo, a ciência atual é clara: renunciar aos ressentimentos fará bem a você.[36]

Outras tantas pessoas insistem em dar importância demasiada aos aspectos negativos da vida, e, assim, não notam quantas coisas boas estão acontecendo, sendo fácil perceber que, agindo desta maneira, jamais se sentirão felizes, porque seus olhos estão contaminados pelas coisas negativas. Outras esperam que a felicidade venha na carruagem dos grandes acontecimentos, e, assim, passam

---

36 *O Poder do Perdão*, Editora Novo Paradigma.

a vida numa expectativa que nunca se confirma, pois a felicidade geralmente se esconde nas coisas simples da vida.

O sofrimento que bate à nossa porta é o convite à renovação. Renovar é uma ação nova, um jeito diferente de ver, entender e fazer as coisas. É claro que existem áreas da nossa vida em que tudo está caminhando bem. São os setores em que nós estamos fazendo o que é certo e adequado ao nosso nível de evolução. No entanto, o sofrimento vem cutucar as áreas que estão precisando de renovação, em que nós já temos condições de agir de forma melhor e mais adequada ao nosso nível de consciência.

E nisso consiste a proposta de Jesus: para coisas novas, novas atitudes. Para vinho novo, novas vasilhas. Paremos, então, de remendar a nossa vida com velhas atitudes! Troquemos de roupa! Joguemos fora aquela velha calça da rebeldia, troquemos logo a camisa do desânimo, tiremos os sapatos da preguiça, arranquemos as vestes da falta de amor! Precisamos de roupa nova!

O Amor é a nova coleção da nossa vida. Vamos nos vestir de coragem, alegria, bom ânimo, perdão, confiança e perseverança. E, somente assim, com novas roupas, a vida se renovará para nós.

ORAÇÃO

Amado Jesus, olho para mim e vejo quanta roupa velha estou vestindo! Quantas mágoas e ressentimentos ainda me vestem o corpo e a alma! Observo ainda como os traumas da infância continuam dirigindo minha vida, meus hábitos, meus relacionamentos. Quero vida nova, mas continuo preso a tudo aquilo que já não tem mais serventia para mim. Não quero continuar sofrendo por essas coisas velhas, nem quero consertá-las, remendá-las.

Eu quero me libertar delas, quero ser uma nova pessoa, quero beber vinho novo, e não este vinagre azedo, que me fere a alma. Hoje eu sei que você está me trazendo roupa nova e vasilha nova. Peço a sua ajuda, Mestre, para me desvestir de tudo aquilo que impede a minha felicidade.

Ajude-me a perdoar as pessoas que me feriram, tanto quanto eu também não quero mais me ferir, guardando em vão essas recordações amargas. Limpe meus olhos para ver a felicidade nas coisas simples da vida e para procurar graça e beleza em tudo aquilo que cruzar meu caminho. Hoje eu sou uma nova pessoa!

Assim seja!

Tenho fome e frio

> *Efetivamente tocamos o seu corpo. É o Cristo faminto que estamos alimentando, é o Cristo nu que estamos vestindo, é o Cristo sem abrigo que estamos acolhendo, e não se trata apenas de fome de pão, de nudez por falta de vestuário, de desalojados por falta de uma casa feita de tijolos. Não. Cristo hoje tem, nos nossos pobres e até nos ricos, fome de amor, de cuidados, de carinho, de dedicação.*
>
> *Madre Teresa de Calcutá*[37]

Madre Teresa afirma que Jesus tem fome de amor. Confesso que é um aspecto de Jesus no qual eu nunca havia pensado. Sempre me lembro de Jesus nos amando, mas nunca imaginei que ele também desejasse o nosso amor. Há uma passagem do Evangelho, de rara beleza, em que o Mestre pergunta a Simão Pedro se ele o amava.[38] Pedro responde que sim, mas Jesus interroga o discípulo com a mesma pergunta:

Simão Pedro, você me ama?

Pedro responde afirmativamente, como da primeira vez. Parecendo não estar satisfeito, pela terceira vez Cristo

---

37 *Madre Teresa de Calcutá, Missionária da Caridade*, Kathryn Spink, Edições Loyola.
38 João 21, 15-17.

formula a mesma indagação, recebendo de Pedro resposta semelhante às anteriores.

Por que Jesus questionou Simão Pedro por três vezes sucessivas se ele o amava? Acredito que Madre Teresa já tenha respondido a tal indagação quando afirmou que Jesus tem fome do nosso amor. Se não desejasse ser amado, Cristo não teria dado tamanha importância ao assunto no diálogo que teve com Simão Pedro. Jesus esteve entre os homens e está no meio de nós. Portanto, é mais do que compreensível que, vivendo a nossa humanidade, Ele também queira ser amado tanto quanto nos ama, "apaixonadamente". Cristo tem um caso de amor com a humanidade! Assim sendo, não se isola no Olimpo, indiferente ao que sentimos por ele. Jesus não tem apenas amor divino por nós. Ele também nos ama em nível humano, por isso, também carece do nosso amor.

Em muitas passagens do Evangelho, Jesus se refere como sendo o "Filho do Homem",[39] dando a entender que era um Messias diferente daquele que as pessoas esperavam, pois a sua condição de Enviado de Deus não o impediria de ser um homem normal, simples, submetido às contingências humanas de alegria e tristeza, dor e sofrimento, e, por que não dizer, de amar e de ser amado. Tanto é assim que o Filho do Homem chorou quando soube da morte de seu amigo Lázaro;[40] afirmou que desejava ser nosso amigo;[41] experimentou tristeza e angústia momentos

---

39   Marcos 8, 31.
40   João 11, 35.
41   João 15, 14.

antes de ser preso[42] e, sofrendo as dores da crucificação, sentiu-se abandonado por Deus.[43]

Esta condição de "Filho do Homem" é que nos dá a certeza de que Jesus nos ampara em nossas aflições, pois Ele mesmo enfrentou toda a sorte de dores e amarguras pelas quais um homem é capaz de passar. A cruz é o símbolo perfeito desta condição, pois a trave posta na vertical é a indicação da nossa ascensão para Alto, e a trave posta na horizontal é a base humana, na qual desenvolvemos a nossa espiritualidade. Jesus foi divino porque também foi humano. Ele divinizou a sua humanidade e humanizou a sua divindade. Já sendo Espírito da mais elevada hierarquia celestial, o Cristo desceu dos Planos Maiores e chegou pertinho de nós, humanizando-se, para que nós, humanos, pudéssemos subir na espiritualização de nós mesmos.

Então, se Jesus deseja ser amado (e amá-lo representa para nós a verdadeira comunhão com ele, com inegáveis reflexos positivos em nossa vida), cabe a nós perguntar de que forma poderíamos amar o Cristo verdadeiramente. Talvez a pergunta mais acertada seja esta:

De que maneira Jesus gostaria de ser amado?

Creio que ele mesmo desvendou o segredo, quando dialogava com Simão Pedro. A cada resposta que Pedro dava a Jesus dizendo que o amava, o Mestre respondia:

Tome conta das minhas ovelhas.[44]

---

42   Mateus 26, 37-38.
43   Mateus 27, 46.
44   João 21, 15-17.

Jesus quer que o amemos cuidando de suas ovelhas. Ele não pede nada para si. Não quer presentes, sacrifícios ou cerimônias. O Divino Mestre apenas quer que tomemos conta das ovelhas do seu rebanho, sobretudo das ovelhas esquecidas pelo mundo, das ovelhas carentes de atenção, que estão, muitas vezes, em nossa própria casa; dos cordeiros que não têm o que comer e vestir; das ovelhas que estão famintas de perdão e consolação. Jesus está carente nelas, esperando o nosso amor.

Todas as vezes em que socorrermos alguém em aflição, estamos socorrendo o próprio Jesus, que se esconde no rosto dos que sofrem, tanto as vicissitudes do corpo como as do Espírito, sejam eles pobres ou ricos. E, quando fechamos o nosso amor para estas pessoas, estamos também negando nosso amor ao Cristo. Aquele Jesus a quem pedimos socorro veio nos visitar na pessoa de um irmão que também está precisando de ajuda. E quantas vezes mandamos Jesus embora, mandando com ele o socorro que havíamos solicitado em nossas orações!

Este é o sentido das palavras de Jesus:

Pois eu estava com fome, e vocês me deram comida;
estava com sede, e me deram água. Era estrangeiro,
e me receberam na sua casa. Estava sem roupa, e
me vestiram; estava doente, e cuidaram de mim.
Estava na cadeia, e foram me visitar... Quando vocês
fizeram isso ao mais humilde dos meus irmãos,
foi a mim que fizeram.[45]

---

45 Mateus 25, 31-40.

Foi por esta razão que Madre Tereza afirmou que tocava o corpo do Cristo, pois Jesus está disfarçado em cada ovelha carente de amparo material e espiritual. Não tocamos Jesus quando nos limitamos a passar a mão em estátuas e imagens que representam a sua figura humana. Não amamos Jesus simplesmente pelo fato de batermos no peito e nos dizermos cristãos, ou por termos uma *Bíblia* aberta em nossa casa. Tocamos o Cristo quando saciamos a fome do corpo e a fome da alma daqueles que, de alguma forma, foram marginalizados por nós pelas feridas físicas ou emocionais que carregam.

Hoje mesmo Jesus está esperando o nosso amor! E quando o encontrarmos ao longo deste dia, nas situações mais cotidianas da nossa vida, ele nos fará a mesma pergunta que formulou a Pedro:

Você me ama?

ORAÇÃO

Cristo amigo, quantas vezes eu o procurei nos templos e nos altares, e não o reconheci nas pessoas sofredoras que cruzavam o meu caminho, para as quais eu provavelmente nem enderecei um simples olhar de consideração! Você estava tão perto de mim, e meus olhos egoístas me cegaram a visão. Envolto em meus próprios problemas, esqueci-me do seu ensinamento supremo de que é preciso fazer aos outros aquilo que eu gostaria que fizessem a mim. E, porque não pensei assim, nada fiz pelo meu irmão aflito.

Por isso, a Lei Divina nada pôde fazer por mim também. Mas, hoje, meus olhos foram libertos pelos clarões das verdades espirituais e eu desejo encontrá-lo, ardentemente. Olho para o meu círculo de relacionamentos e me pergunto em quem você está se escondendo. Vejo algumas pessoas muito difíceis em minha vida e sinto que nelas está o seu rosto faminto, seu corpo nu, sua alma carente de atenção e carinho. E permita-me, Mestre Amigo, saciar a sua fome, cobri-lo com minha melhor roupa, amá-lo com o meu melhor sentimento.

Assim seja!

Nosso nome está escrito no Céu

> *Eu dei a vocês poder de pisar cobras e escorpiões e para, sem sofrer nenhum mal, vencer a força do inimigo. Porém, não fiquem alegres porque os espíritos maus lhes obedecem, mas, sim, porque o nome de cada um de vocês está escrito no céu.*
>
> *Jesus (Lucas 10, 19-20)*

Jesus pronunciou tais palavras aos setenta e dois discípulos que Ele havia enviado a diversas cidades para pregação da Boa-Nova. Os discípulos voltaram felizes da missão realizada, pois alegaram a Jesus que até os demônios lhes haviam obedecido quando foram expulsos pelo poder do seu nome. É possível imaginar como os discípulos se sentiam orgulhosos com os feitos obtidos!

No entanto, o Mestre lhes dá um belo ensinamento, o qual também se aplica a todos nós. Jesus fala para os discípulos não ficarem alegres porque os espíritos maus lhes haviam obedecido. O verdadeiro motivo da alegria, segundo o Cristo, deveria ser porque o nome de cada discípulo estava escrito no Céu. A vitória verdadeira, portanto, não é vencer o inimigo, é ter o nosso nome gravado no Céu.

Quantas vezes nos apegamos a práticas religiosas com o único intento de nos livrarmos das influências espirituais negativas, quando, na verdade, nosso verdadeiro propósito não deveria ser tão somente nos livrarmos do mal, mas, também, nos voltarmos à prática do bem! Esta foi a advertência que Jesus fez aos discípulos e que, passados mais de dois mil anos, ainda continua tendo total serventia para nós. Certa feita, um sacerdote católico perguntou ao Dalai Lama, líder do Budismo tibetano, qual seria a melhor religião. A resposta não poderia ter sido melhor:

A melhor religião é aquela que te faz ser uma pessoa melhor.

Isso é o que nos conduz a ter o nome escrito no Céu. Não basta nos livrarmos do mal; é preciso fazermos o bem. A religião não pode ser vista como um mero "aspirador de pó" das nossas mazelas espirituais, mas, sim, como um trampolim dos nossos potenciais de amor e sabedoria. Não basta pedirmos a Deus que nos livre do mal, sem que nos empenhemos no exercício do bem, pois o mal nada mais é do que a ausência do bem.

A verdadeira alegria, afirma Jesus, somente se conquista quando Deus escreve o nosso nome no Céu pelo bem que fizemos na Terra. Hermógenes, escritor brasileiro que se dedica ao crescimento espiritual das pessoas, escreveu, com sabedoria:

Esqueça-se de sua própria felicidade e empregue seu tempo, seus talentos, seus esforços, suas energias em proveito da felicidade de seus irmãos de humanidade. Faça isso e verá que as pessoas que aprenderam a se dedicar aos necessitados, além de não terem mais tempo para se preocuparem consigo mesmas, passaram a gozar uma condição que se pode dizer feliz.[46]

---

46 *Deus investe em você & Dê uma chance a Deus*, Viva Livros Editora.

Há muita gente querendo arrombar as portas do Alto com o coração fechado ao seu próximo. O Guia Espiritual Irmão José afirmou que o Cristo desceu à Terra para que, com ele, aprendêssemos a subir aos Céus.[47] Tocar o coração de Jesus é tocar aqueles que sofrem sem remédio, sem esperança, sem o amparo do mundo. A melhor oração que se pode fazer ao Cristo é socorrer alguém em aflição. Jesus nos ouve melhor quando somos capazes de ouvir os gemidos de dor e angústia da multidão, que continua faminta esperando a multiplicação de pães e peixes.

Não é o conhecimento das leis sagradas que nos salva, não é a mera adesão a esta ou àquela religião que nos redime, mas somente pelo lápis da caridade é que o nosso nome será escrito no Céu. Citamos em um de nossos livros o pensamento de Madre Teresa de Calcutá, que afirmava se sentir como um pequeno lápis na mão de Deus, e que Ele estava enviando uma carta de amor ao mundo.[48] Nós também somos um lápis na mão de Deus, e o Pai deseja enviar, por nosso intermédio, uma mensagem de amor ao mundo, não uma mensagem de comodismo, medo ou indiferença em relação aos nossos irmãos de caminhada.

Enquanto cada um procurar viver só para si, não encontrará a verdadeira alegria, pois esta, segundo Jesus afirmou, somente se alcança quando nosso nome está escrito no Céu com as letras do amor ao próximo. Muito melhor do que simplesmente derrotar o inimigo espiritual é fazer muitos amigos na Terra e no Céu.

---

47 *Viver em Paz*, psicografia de Carlos A. Baccelli, Didier.
48 *Atitudes para Vencer*, Petit Editora.

ORAÇÃO

Querido Jesus, eu procurei por muito tempo ter algum poder espiritual sobre os meus inimigos. Sempre estive preocupado em me defender da inveja e das energias negativas que porventura lançavam sobre mim. Queria a todo o custo derrotar os inimigos, preocupando-me excessivamente com o mal de que poderia ser vítima. Mas não havia percebido que, segundo o seu Evangelho, somente o bem é que me neutraliza das influências negativas. Não deve haver para mim, doravante, melhor proteção espiritual do que aquela que nasce do bem que eu conseguir fazer ao meu próximo.

Do bem que brota das minhas palavras, que nasce dos meus pensamentos e que molda as minhas atitudes. Ampare-me, Meu Amigo, para que eu não me esqueça disso um só minuto do meu dia, porque o bem que eu deixar de fazer será o mal que me visitará logo mais. Eu quero ser um lápis em suas mãos, Jesus, e gostaria que com este lápis você escrevesse meu nome bem bonito nas páginas do Céu!

Assim seja!

Lei do Auxílio

> *Gosto de falar dele (Cristo) porque foi um homem de perfeita autorrealização. Entretanto, ele não foi o único filho de Deus, nem afirmou que o fosse. Em vez disso, ensinou claramente que aqueles que cumprem a vontade do Senhor tornam-se, assim, como ele, um com Deus. Acaso não foi a missão de Jesus na Terra lembrar aos homens que Deus é o Pai Celestial de todos e mostrar-lhes o caminho de volta para Ele?*
>
> *Yogananda*[49]

Yogananda, líder espiritual nascido na Índia, embora não pertencesse formalmente a nenhum grupo cristão, tinha profunda admiração por Jesus e seus ensinamentos. Nas palavras que abrem este capítulo, Yogananda consegue captar a essência da mensagem do Cristo, a qual poderia ser sintetizada em dois pontos de máxima importância: 1) que Deus é o Pai Celestial de todos; 2) que o caminho para reencontrá-lo é fazer a sua vontade.

Tocar Jesus e ser, consequentemente, por ele tocado depende da realização, em cada um de nós, dessa sublime mensagem. Cristo afirmou que era o *Caminho, a Verdade e a Vida*.[50] Se Jesus é o Caminho, nós precisamos andar

---

[49] *Assim Falava Paramahansa Yogananda*, Self-Realization Fellowship. Nascido na Índia em 1893, Paramahansa Yogananda devotou sua vida a ajudar as pessoas de todas as raças e credos a compreender e expressar mais plenamente a nobreza e a autêntica divindade do Espírito humano.

[50] João 14, 6.

por este caminho, e não simplesmente permanecer olhando para ele. Não adianta dizermos que as palavras de Jesus são maravilhosas, se não as empregarmos em nossa vida. Ninguém chega a determinado lugar, se apenas permanecer admirando a estrada que o leva àquele destino.

Precisamos caminhar com Jesus na estrada que ele nos mostrou. E esta estrada se chama fraternidade, porque, tendo Jesus nos apresentado Deus como o Pai Celestial de todos, chegamos à conclusão imediata de que todos somos irmãos uns dos outros, independentemente de raça, credo ou religião. Aqui está um dos eixos centrais da mensagem cristã. Seguir Jesus implica para nós o esforço de viver fraternalmente e em paz com as pessoas, a despeito das nossas diferenças religiosas, sociais, políticas e raciais.

Deus não vê a cor da nossa pele, não julga de acordo com a religião que professamos, não dá importância ao país em que nascemos, pois para Ele a única religião verdadeira é o amor, a raça existente é a humana e o país verdadeiro é a Terra.

Todas as vezes, porém, em que assumirmos posturas não fraternas, isto é, atitudes que provoquem a guerra, a discórdia, a divisão, a violência física ou emocional e o preconceito, teremos saído da estrada da fraternidade e, por consequência, teremos nos distanciado de Deus. No momento em que desprezamos a fraternidade, plantamos muitos dos espinhos que hoje surgem em nossa vida em forma de problemas dos mais variados.

A fraternidade não é apenas um lembrete que Jesus deixou. É uma Lei Espiritual que rege a nossa vida, pois visa a estabelecer o equilíbrio das relações humanas. Quando deixamos de ser fraternos, isto é, deixamos de tratar o próximo como nosso irmão, estamos mergulhando em zonas de desequilíbrio, e os problemas que fatalmente surgirão em nossa vida funcionam como mecanismos de alerta para que regressemos o quanto antes ao caminho da fraternidade. E, neste caminho, o exercício do perdão, da tolerância e da caridade são práticas de amparo a nós mesmos.

Quando o homem não vive fraternalmente com seus irmãos, inclusive consigo mesmo, ele se distancia de Deus. E, quando o filho se perde do Pai, torna-se inseguro e ansioso. Ao surgir o menor problema, ele se vê sem forças para vencer; não sabe que caminho tomar; sente grande vazio interior; torna-se frágil e medroso. Não estaria aí a explicação para tantos problemas de saúde que nos afetam hoje em dia? Para tantos casos de depressão, Síndrome do Pânico, infartos e neoplasias? Grande parte destas doenças está na consciência de culpa que trazemos por termos vivido distantes das leis do amor e da fraternidade. Quando nossa consciência cai em culpa, ocorre em nós uma disfunção vibratória que, permanecendo ao longo do tempo, prejudica sensivelmente as nossas células, dando origem a muitas enfermidades.

Esta disfunção vibratória causada pela consciência de culpa pode também atingir a nossa saúde financeira. A nossa energia mental é a responsável pela mobilização dos recursos necessários à concretização de nossos projetos no mundo material. Ora, se a nossa mente está turvada pela consciência de que agiu mal em relação ao próximo, muitas vezes surrupiando-lhe uma oportunidade de progresso na vida, causando-lhe prejuízos financeiros e morais, a nossa força mental se enfraquecerá de tal forma que a prosperidade se ausentará de nós.

Em todos estes estados de angústia física e espiritual, o homem, então, procura desesperadamente por Deus – grita, chora, reclama e, por fim, ajoelha-se, clamando por socorro. Mas Deus não fica sensibilizado apenas com nossas lágrimas! A Lei Divina, expressando a vontade do Pai, avalia se estamos apenas chorando ou se já esboçamos sinais de arrependimento por termos vivido distantes da Sua vontade. Jesus nos mostrou o caminho de volta ao Pai. Yogananda observou que Jesus era um homem autorrealizado porque fazia a vontade de Deus. Na prece do *Pai Nosso*, oramos para que seja feita a vontade de Deus, mas, na prática, queremos que Deus faça a nossa vontade, e, muitas vezes, esta vontade não tem nada a ver com a vontade do Pai.

Qual é a vontade de Deus para a nossa vida? Já nos fizemos esta pergunta? Se me fosse possível resumir, eu diria que a vontade de Deus é que sejamos pessoas amorosas. Deus nos ama e oferece este amor diariamente a nós. Sentindo-nos amados, nós também devemos nos amar, e, consequentemente, manifestar este amor àqueles que cruzam o nosso caminho. Que, na relação que tivermos conosco mesmos e com o universo à nossa volta, o amor esteja impregnando nossas atitudes. Isso é estar com Deus, viver em Deus, unir-se a Deus. Fora disso, estaremos andando à margem do caminho, colhendo espinhos em nossos próprios passos, pois, segundo o Apóstolo Paulo, o amor é o cumprimento perfeito da Lei.[51]

E, se hoje os espinhos do desamor estiverem nos envolvendo na forma dos mais variados problemas, precisamos acreditar que tudo isso pode ser mudado, e aí está outro aspecto central da mensagem de Jesus: o destino não é imodificável. O Apóstolo Pedro afirmou que o amor cobre uma multidão de pecados,[52] querendo com isso dizer que o amor dissolve a nossa consciência de culpa, por meio do bem que formos capazes de realizar. Emmanuel, Guia Espiritual de Chico Xavier, explicou formidavelmente este fenômeno:

> A prática do bem, simples e infatigável, pode modificar a rota do destino, de vez que o pensamento claro e correto, com ação edificante, interfere nas funções celulares, tanto quanto nos eventos humanos, atraindo em nosso favor, por nosso reflexo melhorado e mais nobre, amparo, luz e apoio, segundo a lei do auxílio.[53]

Quando estivermos perdidos, desnorteados, sem saber que rumo tomar na vida, o que fazer diante de uma situação difícil, sigamos a orientação espiritual que acabamos de receber, tendo o pensamento claro e correto e praticando o bem incansavelmente. Somente assim a lei do auxílio virá em nosso socorro, pois o amor de Deus terá encontrado espaço em nosso próprio coração.

---

51   Romanos 13, 10.
52   1 Pedro 4, 8.
53   *Pensamento e Vida*, psicografia de Francisco Cândido Xavier, FEB Editora.

ORAÇÃO

Mestre Jesus, fazendo um balanço da minha vida, ainda me vejo vivendo como se as pessoas que não são da minha família não fossem, de fato, meus irmãos em Deus. Por vezes, nem mesmo com pessoas da família eu consigo ter esta visão. Sinto-me como um cego, ao não ver os laços espirituais que unem todos os seus filhos. Quantas vezes eu me julguei seu filho único!

Quantas vezes eu pensei apenas em meus próprios interesses, machucando outras pessoas com minhas atitudes exclusivistas! Todo este desamor se refletiu na saúde abalada do corpo, nos recursos financeiros escassos e nos relacionamentos pobres de ternura, afeto e carinho. Hoje, porém, compreendi que tudo isso é a expressão dos espinhos que eu mesmo plantei, ao não considerar o próximo como o melhor investimento da minha vida. Auxilie-me a compreender, querido Amigo, que a revolta não me ajuda, o desespero não me ampara e o egoísmo só me afundará em problemas ainda maiores. Eu preciso salvar a embarcação da minha vida, e hoje compreendi que somente amando eu poderei modificar o meu destino.

Conceda-me, Jesus, portanto, a oportunidade de servir todos os dias e todas as horas, assim como você nos vem servindo até os dias de hoje, amando-nos profundamente.

Assim seja!

Unidos a Jesus

Assim como o meu Pai me ama, eu amo vocês; portanto continuem unidos comigo por meio do meu amor por vocês.
Jesus (João 15, 9)

Nesta passagem do Evangelho, Jesus faz uma declaração de amor por nós: *Eu amo vocês*. É uma declaração feita há mais de dois mil anos, mas que continua se renovando a cada dia da nossa vida. Se abrirmos nosso coração, seremos capazes de sentir a voz meiga de Jesus sussurrando em nossos ouvidos: *Eu amo vocês*. Creio que agora mesmo poderemos ter esta experiência no campo dos sentimentos. Como não duvido do amor de Jesus, eu sei que você será capaz de senti-lo, se estiver com seu coração aberto a tal possibilidade.

Sentir-se amado por Jesus é uma experiência vital para a nossa vida. Ninguém vive dignamente sem se sentir amado. A carência afetiva está na raiz da maioria de nossas doenças e problemas de relacionamento em geral. Temos uma necessidade imperiosa de sermos aceitos e amados, porém, nem sempre as pessoas estão prontas para isso, pois elas também precisam ser aceitas e amadas. No fundo, cada um está esperando receber amor e, enquanto não recebe, também não se sente estimulado a amar.

O que não percebemos, contudo, é que já somos amados por Jesus. Aqui reside a solução para nossos grandes problemas: sentirmos que somos amados pelo ser mais evoluído que Deus mandou ao Planeta. Quando Jesus era batizado por João, uma voz celestial surgiu no ambiente e proclamou:

Tu és o meu filho querido e me dás muita alegria.[54]

Jesus é o filho enviado por Deus para amar a todos nós, colocando, portanto, um ponto final ao ciclo de ódio e indiferença que se estabeleceu entre as criaturas na face da Terra.

Ninguém mais reclame de carência afetiva, pois é amado por Jesus!

Ninguém mais alegue solidão, porque tem a companhia de Jesus!

Ninguém mais se diga perdido, pois encontrou a direção de Jesus!

Ninguém mais queira usar de vingança, já que foi perdoado dos seus próprios enganos por Jesus!

O amor de Jesus não foi uma mera declaração, destas que costumamos fazer aos outros sem que haja de nossa parte atitudes firmes, que demonstrem o amor declarado. Quando

---

54 Lucas 3, 21-22.

Jesus foi abordado por discípulos de João Batista, que desejavam saber, a pedido deste, se o Mestre era mesmo o Messias Prometido por Deus, narra o Evangelho que Jesus, antes de dar qualquer resposta, curou muitas pessoas das suas doenças e dos seus sofrimentos, expulsou Espíritos maus e também curou muitos cegos. E, depois de tudo isso, voltando-se aos discípulos de João Batista, o Cristo respondeu:

Voltem e contem a João o que vocês viram. Diga a ele que os cegos veem, os coxos andam, os leprosos são curados, os surdos ouvem, os mortos são ressuscitados, e os pobres recebem a Boa-Nova. E felizes são as pessoas que não duvidam de mim.[55]

Vejam que Jesus, primeiramente, agiu no amor, e somente depois respondeu aos discípulos do Batista. O amor de Jesus por nós é algo concreto. Ele quis provar que era o Enviado de Deus para nos ajudar a evoluir por meio de ações amorosas, socorrendo os necessitados em suas aflições. Jesus nunca ficou de braços cruzados diante dos que sofriam, fossem dores físicas ou morais. E hoje também não se omite quando as lágrimas do sofrimento caem dos nossos olhos amedrontados e aflitos. Quem ama cuida, interessa-se pela sorte do ser amado. Aliás, foi Jesus quem afirmou:

Ninguém tem amor maior do que aquele que dá a vida por seus amigos.[56]

Cristo tem um amor maior, pois ele sacrificou a própria vida por nós. Será que já pensamos mais detidamente no

---
55 Lucas 7, 18-23.
56 João 15, 13.

que representou todo o calvário que Jesus enfrentou até a crucificação? Todas as dores horrendas que ele suportou foram decorrentes do amor que sente por nós. Enquanto Jesus caminhava até o local da crucificação, ele pensava em cada um de nós. Ele dizia o seu nome, o meu nome e o nome de todos os filhos da Terra.

Estou morrendo por amor a vocês.

Indiscutivelmente, o Cristo nos ama, e seu amor nunca está pobre, conforme nos afirma Bezerra de Menezes.[57] Mas talvez você esteja se perguntando:

Se Jesus me ama, por que ele me deixa sofrer tanto?

Creio que a resposta seja esta: Cristo foi crucificado porque nos amou, e nós estamos carregando a nossa cruz por falta de amor. Jesus teve uma cruz de amor e nós temos uma cruz feita de orgulho e egoísmo. A cruz de Jesus foi de libertação, a nossa ainda é de prisão. Nossa coroa de espinhos foi confeccionada com os espinhos que colocamos na vida dos nossos semelhantes, nesta existência ou em existências pregressas.

E como nos libertarmos desta cruz? Jesus respondeu:
*Continuem unidos comigo por meio do
meu amor por vocês.*

A solução proposta por Jesus é nos unirmos a ele no amor que ele tem por nós. Vale dizer, é viver o amor que ele viveu. O egoísmo nos coloca na cruz. A caridade nos "descrucifica". Quando amamos como o Cristo amou, nós tocamos o coração dele, e, aí, trocamos a cruz da dor pela vitória do amor.

---
57 *Apelos Cristãos*, psicografia de Francisco Cândido Xavier, UEM.

ORAÇÃO

Jesus amigo, você me convida a permanecer unido a você pelo amor. Eu sei que tenho andado distante de você. Algumas vezes eu o procuro em minhas preces e confesso que não o encontro. Sinto-me sozinho em muitos lances difíceis da existência. Mas hoje descobri que esta solidão espiritual é pura ausência de amor em minha vida. Nem esmolas mais eu venho dando; nem sorrisos eu ando espalhando; nem palavras amigas eu venho distribuindo; nem um pedaço de pão eu venho repartindo. Por isso, não consigo senti-lo em minhas súplicas.

Porque a única linguagem que você entende é a do amor, e, em matéria de amor, eu tenho sido quase um analfabeto. Mas eu quero, doravante, firmar minha amizade com você, querido Jesus. Quero amar, e amar é fazer ao outro o que eu gostaria que fizessem a mim. Simples assim. Ajude-me a estar com você não apenas quando eu estiver no templo religioso. Que eu permaneça unido a você todas as vezes em que alguém passar por mim precisando de um simples pedaço de pão; de uma palavra de conforto que o tire da solidão; de alguém que lhe dê a mão. Eu quero ser esta pessoa, Jesus.

Você me ajuda?
Assim seja!

Sem pedras na mão

> *Jesus, quando nos recomendou entregar os nossos julgamentos aos juízes, para que não venhamos a julgar erradamente uns aos outros, compreendia, decerto, que, geralmente, temos, digo isso de mim — determinado grau de periculosidade e que, em virtude disso, precisamos da misericórdia de todos.*
>
> *Chico Xavier*[58]

Jesus, o Espírito mais evoluído que pisou na Terra, afirmou categoricamente que veio entre nós para salvar o mundo, e não para julgá-lo.[59] Sua missão não se voltou simplesmente a apontar nossas feridas. Cristo veio para curá-las por meio do amor com que ele envolvia os pecadores e por intermédio das lições que deixou para que não voltássemos a cair na estrada do erro. Ele veio para salvar o mundo das consequências da nossa falta de amor, e a maneira que encontrou para realizar a sua missão foi a de nos amar até a morte e apontar o amor como o caminho da nossa própria salvação.

---

58   *Chico Xavier, a terra e o semeador, Entrevistas,* IDE.
59   João 12, 47.

Ninguém poderá dizer que não ama porque não foi amado. Jesus nos amou ontem, nos ama hoje e nos amará sempre. O Cristo amou a todos, mas teve especial cuidado com os pecadores. A palavra "pecado" deriva do latim *peccatum*, daí surgindo a expressão "impecável", que, no caso, seria a qualidade da pessoa sem defeito ou falha. Afirmando que teria vindo para os pecadores, e não para os impecáveis, Jesus elege estes últimos para que o auxiliem em sua missão junto à humanidade. E, para os imperfeitos, ele não trouxe pedras, não trouxe ameaças do fogo do inferno; antes, deu a eles a luz do esclarecimento e o calor do seu coração.

Certa feita, indagaram aos discípulos de Jesus o motivo pelo qual ele comia com os cobradores de impostos e com as pessoas de má fama. Os cobradores de impostos eram pessoas malquistas pelo povo porque se excediam na cobrança de tributos. Jesus ouviu a pergunta e respondeu:

Os que têm saúde não precisam de médico,
mas sim os doentes. Porque eu vim para chamar
os pecadores, e não os bons.[60]

E, ao chamar os equivocados a uma vida nova, Jesus não usava de crítica ou repreensão. Eu não me canso de lembrar o caso da mulher adúltera que todos queriam apedrejar. O Mestre livrou-a da morte com a famosa frase que ficará registrada por toda a eternidade:

Quem de vocês estiver sem pecado que seja
o primeiro a atirar uma pedra nesta mulher![61]

---

60 Mateus 9, 12-13.
61 João 8, 7.

E nem mesmo Jesus, o único ali presente que poderia atirar, porque estava sem pecado, a censurou:

Pois eu também não condeno você.
Vá e não peque mais.[62]

Isso não quer dizer que Jesus aprovou o adultério. Ele quer a morte do pecado, e não do pecador. O erro não é maior do que a pessoa que o comete. Isso estava muito claro para Jesus, embora não esteja muito claro para nós, cristãos, que continuamos a confundir o pecado com o pecador. Cristo tem uma estratégia diferente da nossa, pois ele acolhe o pecador, enquanto nós o segregamos. Cristo abomina o pecado, mas ama o pecador. Nós rejeitamos o pecado e o pecador, embora, curiosamente, sejamos tão pecadores quanto aqueles que condenamos. Não é uma incoerência de nossa parte?

Como disse Chico Xavier, todos nós temos certo grau de periculosidade, isto é, todos nós ainda percorremos a estrada do erro. Diante disso, com que direito iremos condenar aqueles que tropeçam nas mesmas pedras em que nós também tropeçamos? Jesus nos formula uma pergunta muito objetiva, cuja resposta, creio eu, ainda não demos porque não temos o que responder:

Por que é que você vê o cisco que está no olho
do seu irmão e não repara na trave de madeira
que está no seu próprio olho?[63]

---
62 João 8, 11.
63 Mateus 7, 3.

Quem cuida muito da vida alheia está cuidando pouco da sua, o que é lamentável, porque há tanto trabalho interior a se realizar na busca do nosso aperfeiçoamento, que não nos sobraria tempo para vigiar a conduta do próximo. E quem não cuida de si mesmo jamais conseguirá ter progresso na vida, pois seu mundo íntimo, onde todos os projetos de vida se iniciam e se sustentam, está repleto de traças e ervas daninhas.

Conheço muitas pessoas felizes e prósperas. Procurei estudá-las para entender qual o segredo que tinham. E não foi difícil concluir que são pessoas tolerantes com os erros alheios; que não se fixam nos pontos negativos de pessoas e situações, e buscam a prática do contentamento com aquilo que a vida lhes pode oferecer. Estas pessoas me fazem lembrar os ensinamentos de Paulo de Tarso:

Alegrai-vos sempre, orai sem cessar. Por tudo dai graças, pois esta é a vontade de Deus a vosso respeito, em Cristo Jesus.[64]

Lembra Chico Xavier que nós precisamos nos abster de julgar o próximo, já que nós precisamos da misericórdia de todos para os nossos equívocos. A nossa intolerância com os erros alheios pode apenas ser um disfarce tentando acobertar os nossos próprios enganos. Quem muito condena, provavelmente, carrega dentro de si algo de muito condenável. Na época de Jesus, os escribas e fariseus eram assim, implacáveis juízes do comportamento alheio, embora se apresentassem como rigorosos cumpridores dos preceitos religiosos. O Cristo não teve palavras brandas para eles:

---

64 1 Tessalonicenses 5, 16-18.

Ai de vocês, mestres da Lei e fariseus, hipócritas! Pois vocês são como túmulos pintados de branco, que por fora parecem bonitos, mas por dentro estão cheios de ossos de mortos e de podridão. Por fora vocês parecem boas pessoas, mas por dentro estão cheios de mentiras e pecados.[65]

Seria bom termos coragem suficiente para enxergar a nossa podridão! Estou certo de que esta atitude interior, que demanda muita humildade, faria com que jogássemos fora todas as nossas pedras. Porque, se estivermos com elas na mão, dificilmente conseguiremos tocar o coração de Jesus. Como erguer as mãos em súplicas ao Céu, se elas estão cheias de pedras acusadoras? Como esperar pelas bênçãos de Jesus, se amaldiçoamos a vida do próximo com os nossos julgamentos? O Cristo nos diz que seremos julgados pela mesma medida que usarmos para julgar o próximo.[66] Se a vida está sendo muito dura conosco, pode ser que nós estejamos sendo muito duros com os nossos semelhantes. Quando condenamos alguém, estamos lavrando uma sentença condenatória contra nós mesmos.

Se Jesus tem um coração que perdoa e compreende, por que o nosso coração não é capaz de fazer o mesmo? Esta é a proposta do Cristo: jogar fora as nossas pedras e olhar com humildade para a nossa própria periculosidade, como diz Chico Xavier: sem pedras na mão, sem fogo na língua, nossa vida fica mais leve e mais próxima do Amigo Jesus.

---

65 Mateus 23, 27-28.
66 Mateus 7, 2.

ORAÇÃO

Amado Jesus, recuei no tempo. Voltei dois mil anos e me vi entre aqueles homens bárbaros com pedras na mão, prestes a matar a mulher pecadora. Bem me lembro que eu o vi se aproximando e olhando com especial ternura para aquela jovem e inexperiente mulher. Confesso que não entendi seu olhar cândido e cheio de paz. Nós o desafiamos a dizer se nosso ato era contrário à Lei de Moisés. E você nos deu uma resposta que até hoje está em minha consciência: "Atire a primeira pedra aquele que estiver sem pecado". Mais de dois mil anos se passaram e eu ainda me vejo com pedras na mão, golpeando irmãos caídos a quem, antes, eu deveria socorrer com a minha compreensão e silêncio. Ah, Mestre, como estas pedras me pesam na alma! Por que ainda as carrego? Será porque também me sinto em erro? Será que estou tentando disfarçar a minha própria podridão? Será que o ato de julgar o outro que se equivoca não seria uma estratégia inconsciente que utilizo para desviar a atenção dos meus próprios equívocos? Ajuda-me, Jesus, a tirar a cegueira dos meus olhos, para que eu consiga enxergar as minhas próprias mazelas, às quais você jamais fez qualquer referência. Eu bem que merecia ser também apedrejado, mas você mandou todos os meus acusadores embora para que, doravante, eu também não me apresente diante de ninguém para acusar e jogar pedras.

Assim seja!

Recomeçar

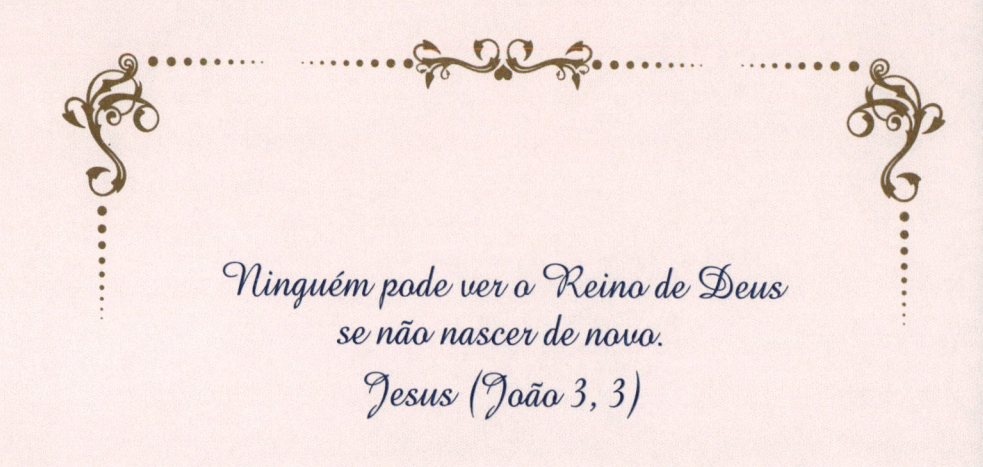

*Ninguém pode ver o Reino de Deus
se não nascer de novo.*
Jesus (João 3, 3)

Este pensamento surge de um diálogo que Jesus manteve com um fariseu chamado Nicodemos, que era líder dos judeus. O Evangelho não registra qual teria sido a pergunta formulada por Nicodemos e que levou Jesus a proferir a resposta que acima transcrevemos. Mas, pela mediunidade de Francisco Cândido Xavier, o Espírito Humberto de Campos abre as cortinas do tempo para descrever qual foi a questão formulada por Nicodemos:

> *Tenho empregado a minha existência em interpretar a lei, mas desejava receber a vossa palavra sobre os recursos de que deverei lançar mão para conhecer o Reino de Deus!*[67]

---

[67] *Boa Nova*, psicografia de Francisco Cândido Xavier, FEB.

E Jesus respondeu que ninguém conhecerá o Reino de Deus sem nascer de novo. Creio que esta preocupação de Nicodemos em conhecer o Reino de Deus também deve ser nossa, pois nenhum reinado da Terra é capaz de suprir os anseios de paz e amor de que nossa alma tem necessidade. Por tal razão é que o Apóstolo Paulo nos recomenda buscar as coisas do Alto[68] e não centrar a nossa vida exclusivamente na conquista dos valores materiais, sempre passageiros e que, cedo ou tarde, haveremos de deixar na própria Terra.

Para não me esquecer disso, vez ou outra, costumo visitar algum cemitério. Olho bem para os túmulos, vejo as fotografias dos falecidos, as datas em que partiram desta vida e imagino que um dia chegará também a minha vez de deixar este Plano de existência. Aqui, deixarei todos os meus bens terrenos, meu cargo público, meus familiares e o possível destaque social que minhas tarefas de orador, escritor e radialista imerecidamente me proporcionaram. Todos os "meus" ficarão por aqui. Só irão comigo as conquistas que porventura tiver feito em meu próprio Espírito no campo da justiça, do amor e da caridade.

O Reino de Deus não é um lugar específico, mas um estado de espírito que se alcança quando vivemos segundo os propósitos que Deus traçou para nós. O Reino de Deus não se alcança apenas depois da morte, é acessível a todos nós a partir do instante em que decidimos viver em consonância com a Lei Divina, da qual o preceito supremo é *amar o próximo como a si mesmo.*

---
68 Colossenses 3, 1-2.

Quando nos afastamos do amor, ficamos fora do Reino, e isso implicará para nós a experiência da dor e do sofrimento. Um motorista que não respeita as leis de trânsito certamente se envolverá em muitos acidentes, os quais poderão, inclusive, lhe retirar a própria vida, assim como estará sujeito ao pagamento de multas pelas infrações praticadas e de indenizações pelos prejuízos causados a outrem. Da mesma forma, quando optamos por viver fora do Reino de Deus, isto é, quando deliberadamente agimos contrariamente àquilo que Deus deseja para nós, fatalmente mergulharemos em problemas dos mais variados, pagando a multa do sofrimento e a indenização da infelicidade.

Como pertencia ao grupo dos fariseus, Nicodemos era um homem de profundo conhecimento das práticas religiosas. Porém, ainda estava em busca do Reino Divino, o que nos permite concluir que ele, apesar de todo o conhecimento que possuía da Lei Divina, ainda não se apossara do Reino, e isso certamente ocorria porque lhe faltava a vivência das Leis de Deus, que ainda estavam apenas no campo das suas especulações intelectuais.

Creio que todos nós somos um tanto parecidos com Nicodemos, pois, se ainda não ingressamos no Reino de Deus, não é por falta de conhecimento das Leis Espirituais, nem mesmo às vezes nos falta a prática de ritos religiosos nos templos de nossa fé. O que nos falta é viver a lei divina no âmbito dos nossos interesses pessoais e nos relacionamentos que nos cercam. Nem mesmo Jesus afirmou ter vindo para destruir a Lei de Moisés ou dos Profetas. Ao contrário, Ele declarou que veio para dar-lhes cumprimento.[69] Jesus de Nazaré foi o Profeta diferente de todos os demais, pois ele viveu tudo aquilo que os outros ensinaram.

Respondendo à indagação de Nicodemos sobre o que deveria fazer para entrar no Reino dos Céus, Jesus afirma que era preciso ao homem nascer de novo. Do ponto de vista biológico, é impossível ao homem nascer de novo na mesma existência. O próprio Nicodemos, tentando entender a resposta de Jesus, afirma que era impossível ao homem velho voltar para a barriga de sua mãe e nascer outra vez.

Isso nos leva a concluir que Jesus não falava de um "nascer de novo" do ponto de vista biológico, mas, sim, de um renascimento emocional e espiritual que nós devemos realizar como condição para entrar na posse do Reino Divino. Está implícito no ensinamento do Mestre que este ingresso no Reino se faz de forma paulatina, progressiva, pois depende de um processo de nascer, morrer e nascer outra vez.

A primeira parte deste processo é de ordem emocional e se estabelece na própria experiência física. Precisamos deixar morrer em nós todos os sentimentos negativos que estejam atravancando o nosso progresso. Mágoas, ódios, culpas, ressentimentos e traumas precisam ser excluídos de uma vez por todas dos nossos painéis psíquicos, pois, do contrário, convertem-se em verdadeiros fantasmas que nos assombram e impedem nosso ingresso no reino da felicidade, cujas portas se abrem com as chaves do perdão e do amor.

---

69 Mateus 5, 17.

Viver com estes estados negativos da alma é negar o amor a si mesmo, e, assim, passaremos a viver num inferno que nós mesmos criamos. Acomodar-se nas experiências infelizes do passado gera estagnação e dor, porquanto somente a vida desfrutada no aqui e agora é capaz de nos propiciar uma vida feliz e saudável. Precisamos aprender a "nascer de novo" a cada dia, deixando para trás o que nos machucou e construindo no novo dia experiências felizes, como se a nossa vida estivesse nascendo naquele momento e nos fosse possível começar tudo de novo.

É mais do que certo, porém, que o processo de ingresso no Reino de Deus se assemelha a um certame com sucessivas etapas. É uma longa caminhada de ascensão, que não se faz da noite para o dia, embora não devamos utilizar este argumento para viver passivamente, sem o esforço da nossa iluminação. Jesus já estava na posse do Reino Celeste quando afirmou:

Eu e o Pai somos um.[70]

Isto quer dizer que Jesus era um iluminado porque se identificava perfeitamente com a vontade de Deus. Por isso, ele nos ensina, na Oração do Pai Nosso, a pedir que seja feita a vontade de Deus em nossa vida, o que nos permite concluir que ainda resistimos a executar o plano que Deus tem para nós, pois, na maioria das vezes, queremos apenas fazer o que é da nossa vontade, a qual nem sempre coincide com a vontade do Pai.

E quando os nossos desejos falam mais alto do que os desejos que Deus tem em relação a nós (o que ocorre

---
70 João 10, 30.

quando o egoísmo grita mais alto do que a voz serena do amor), entramos em rota de colisão com a felicidade que tanto almejamos e que somente pode ser alcançada dentro do perímetro comportamental que Deus traçou para os seus filhos. Mas, como Deus é o Pai amoroso que jamais desiste de nós, nos concederá tantas experiências quantas forem necessárias para que possamos nascer de novo, até ingressarmos definitivamente em seu Reino Divino.

E, mesmo que tenhamos desperdiçado uma vida inteira em equívocos de toda ordem, haveremos de nascer de novo em outros corpos, pelas portas da reencarnação. É o renascimento espiritual; vale dizer, é o nosso Espírito renascendo em uma nova vida, com outro corpo físico, com a oportunidade de refazer escolhas, agora pautadas nos códigos divinos. A reencarnação é a prova de que Deus sempre nos perdoa dos enganos cometidos, pois nos propicia novas oportunidades de renascer em uma nova vida para refazer a experiência malsucedida.

Hoje estamos nesta nova vida, e a prova disso é que Deus apagou de nossa mente as lembranças infelizes das existências passadas, para que tudo em nós se renove em atitudes de paz, amor e alegria. Jesus nos trouxe as ferramentas desta transformação. Cabe a nós, agora, fazer o parto do nosso renascimento. Deixemos morrer em nós tudo aquilo que não sirva para o nosso crescimento, tudo aquilo que nos faz mal e nos causa lágrimas de dor e aflição! Vamos renascer para a vida que nos aguarda em novas chances de crescimento, alegria, amor e paz.

Nascer de novo nos dá a ideia de que é preciso voltarmos a ser como criança, recuperando em nós mesmos os dons da alegria, espontaneidade, pureza de coração, ausência de julgamento, criatividade e capacidade de reconciliação, virtudes que as crianças têm de sobra. Afinal de contas, Jesus afirmou que o Reino do Céu é das pessoas que são como as crianças.[71] Voltaremos a ser crianças em uma próxima encarnação, reaprendendo a viver. Mas poderemos desde já alcançar o Reino da Luz, se deixarmos nossa criança interior emergir da infância, dando nova vida ao homem que já se julga velho demais para recomeçar.

---

71 Mateus 19, 14.

ORAÇÃO

Jesus, aqui me encontro ferido por tantos fracassos, cansado de experimentar desilusões. Seu Evangelho fala repetidas vezes sobre o Reino de Deus, onde imagino que deve haver paz e amor. E eu ainda me sinto fora desse Reino. Sei que você me convida a entrar, mas vejo que a porta de entrada é estreita e baixa. E hoje aprendi que a porta é estreita para que somente os humildes passem por ela, porque, via de regra, os orgulhosos carregam muitas coisas desnecessárias consigo; geralmente, estão cheios de si e não conseguem passar pela porta estreita. E a porta também é baixa...

Somente uma criança consegue passar por ela. Meu "eu adulto" não passa, teria de engatinhar como criança para entrar. Por isso, Mestre Amado, descobri que preciso fazer uma cirurgia espiritual para diminuir meu peso e minha estatura. Preciso extirpar o orgulho de mim, para me tornar humilde, retirando a prepotência e a arrogância, que não me deixam passar pela porta do Reino do Céu. E preciso fazer um trabalho de rejuvenescimento para voltar a ser como uma criança. Só assim serei admitido no Reino do Pai. Seja meu cirurgião, amigo Jesus! Ajude-me a nascer de novo para a vida, a felicidade e o amor! Eu preciso, eu quero, mas preciso de sua mão.

Assim seja!

Companheiros do Cristo

> *Reconheçamo-nos na condição de companheiros do Cristo que anseia agir por nossas mãos e ver com os nossos olhos, abençoar com a nossa voz e amparar com o nosso discernimento na construção do Reino de Amor e Luz a que fomos trazidos, não só para teorizar e aguardar, mas também para renovar e fazer, elevar e construir.*
> *Bezerra de Menezes*[72]

Bezerra de Menezes, que, em sua derradeira experiência na Terra, soube tão bem ser amigo de Jesus, tendo recebido em vida o título de "O Médico dos Pobres", vem do Mundo Espiritual formular um convite para que nos reconheçamos como companheiros do Cristo. É uma proposta que, na verdade, já havia sido feita por Jesus, quando ele nos chamou de "amigos".[73] Como, provavelmente, nos esquecemos deste convite, Dr. Bezerra nos relembra a intenção de Jesus.

O Cristo não deseja apenas ser o Messias, o Salvador, o Mestre ou o Médico de nossas almas. Sua intenção é

---
72 *Bezerra, Chico e Você*, psicografia de Francisco Cândido Xavier, GEEM.
73 João 15, 15.

de ter um relacionamento mais íntimo conosco. Por isso, nos chamou de "amigos". E Dr. Bezerra pede que não nos esqueçamos disso, que nos reconheçamos como companheiros do Cristo. Há mais de dois mil anos, ele vem tentando se aproximar de nós. Creio ter chegado o momento de selarmos esta amizade. Você não está com este livro nas mãos por obra do acaso! É Jesus quem está querendo falar com você, estar mais próximo de você, tal como dois grandes amigos ajudando-se mutuamente.

Eu sei que você tem uma lista de pedidos nas mãos para apresentar a Jesus. Eu sei também que ele quer ouvi-lo e deseja ardentemente ajudá-lo em suas dificuldades. Afinal, ele é seu amigo. Aliás, poderia dizer que é o seu melhor amigo e está disposto a fazer tudo o que for bom para você. A amizade, porém, é uma via de mão dupla. Jesus é seu amigo, mas você também é amigo de Jesus. Nós queremos tocar Jesus e Jesus de igual forma deseja nos tocar. O Nazareno também tem uma lista de pedidos a fazer para você. Dr. Bezerra nos apresentou esta relação, que traz quatro solicitações:

Cristo deseja agir por nossas mãos. De que maneira você acha que ele usaria as nossas mãos? Usaria para bater? Matar? Agredir? Roubar? Certamente, não! Sem dúvida, Jesus usaria as nossas mãos para socorrer, abraçar, alimentar e amparar todos aqueles que estão precisando de uma mão amiga, na mesma medida em que ele nos acaricia quando estamos abatidos.

Cristo deseja ver com os nossos olhos. O que ele faria com os nossos olhos? Por certo, Jesus procuraria enxergar as pessoas que estão sofrendo à nossa volta, as quais nós, muitas vezes, nem percebemos, por causa do nosso olhar distante e indiferente. E de que maneira Jesus as olharia? Estou convicto de que ele teria um olhar de compreensão, ternura e compaixão para todos aqueles que passassem diante de seus olhos penetrantes, porque é desta forma que o Mestre olha para nós quando nos sentimos perdidos e desolados.

Cristo deseja abençoar com a nossa voz. Ele quer falar pela nossa boca. Que palavras Jesus falaria para as pessoas que cruzam diariamente o nosso caminho? Tenho absoluta certeza de que o Mestre teria palavras construtivas, esperançosas, motivadoras e amigas, pois é desse jeito que ele também se dirige a nós. E de que modo Jesus falaria? Não teria impaciência no falar, tampouco irritação, azedume ou pressa. Ele tem estrelas cintilantes nos lábios!

Cristo deseja amparar a construção do Reino de Amor e Luz com o nosso discernimento. Jesus quer usar a nossa razão e a nossa inteligência para construir na Terra o Reino de Deus. Ele sabe distinguir o bem do mal, o certo do errado, o justo do injusto, o ódio do amor. Os valores na Terra hoje estão invertidos, o mal muitas vezes triunfa pela omissão dos bons. Por isso, o Mestre pede que o nosso amor seja corajoso, que a nossa inteligência seja atuante, para separarmos o joio do trigo.

Estes são os pedidos do Cristo. Ele quer agir por nossas mãos, olhar por nossos olhos, falar por nossa boca, construir o Reino de Luz pelo nosso discernimento. Atender a estes pedidos implica para nós aceitarmos a direção do Cristo para a nossa vida, a fim de que venhamos a agir como ele agiria, a falar como ele falaria, a olhar como ele olharia, a discernir como ele discerniria.

Muitos de nós talvez estejamos pensando que tudo isso exija muito sacrifício. Mas nos recordemos de que o amigo Jesus um dia morreu por nós e, até hoje, continua sendo crucificado, quando o deixamos sozinho na tarefa de construção do Reino de Deus na Terra. Até quando isso vai ficar assim? Até quando a nossa relação com Jesus será mero fruto do nosso interesse em que somente ele se dedique a nós? Até quando continuaremos negando nosso amigo Jesus? Bezerra de Menezes assevera que o companheiro de Jesus não é aquele que teoriza e aguarda. É aquele que renova, faz e constrói. Pedro negou o Cristo por três vezes. E nós, quantas vezes já o recusamos? Será que o galo que cantou a Pedro continuará cantando para nós também?

ORAÇÃO

Cristo Jesus, durante toda a minha vida, eu aspirei à vida religiosa. Frequentei igrejas e templos, participei de missas, cultos e reuniões espirituais. Sempre me ajoelhei diante de sua figura, na maioria das vezes, para pedir socorro em minhas dificuldades. Mas nunca me deparei com a ideia de que você deseja ser nosso companheiro para atuar na Terra por meio de nossos braços, nossos olhos, nossa boca e inteligência. Para falar a verdade, Jesus, eu me sinto indigno dessa sua solicitação. Como eu, cheio de imperfeições, aflições e problemas, posso ser um canal do seu divino auxílio aos outros? Escuto sua voz me dizendo: "Eu escolhi atuar por seu intermédio para, exatamente, curar as suas feridas. Estando próximo dos outros, eu estarei mais próximo de você. Ajudando aos outros por meio das suas mãos, eu poderei tocá-lo com o meu amor. Ajudando aos outros com a sua voz, eu poderei lhe falar palavras de esperança e luz. Ajudando aos outros com a sua inteligência, eu lhe darei a lucidez para entender e resolver seus próprios problemas. Esteja comigo, e eu estarei contigo, hoje, amanhã e sempre!"

Assim seja, Jesus!

Os Sete Passos da Felicidade

*Jesus andou por toda a Galileia,
ensinando nas sinagogas,
anunciando a boa notícia do Reino
e curando as enfermidades
e as doenças graves do povo.*
Evangelho de Jesus segundo Mateus (4, 23)

Jesus tinha por hábito ir ao encontro do povo, a fim de levar a sua mensagem de amor à humanidade. ele amava agindo, socorrendo os aflitos de toda ordem, curando as doenças do corpo e da alma, sempre atraindo grande quantidade de pessoas à sua presença. Cristo não foi um profeta teórico. Diante da multidão faminta, Ele multiplicou pães e peixes. Junto aos enfermos, realizou inúmeras curas. Perante os desesperados e tristes, distribuiu sua palavra de esperança e alegria.

O evangelista Mateus afirma que Jesus andou por toda a Galileia, realizando seu ministério de amor. No tempo de Jesus, a Galileia era uma das províncias da Palestina, formada por algumas cidades como Nazaré, Cafarnaum, Magdala, Corazim e Tiberíades. Jesus passou por todas estas cidades, e não passou como turista. Em todas elas, deixou as marcas do seu amor. Aliás, o Cristo foi o peregrino do amor, pois não se limitou a permanecer na cidade onde foi criado (Nazaré), tendo visitado as demais cidades da Galileia, bem como cidades de outras províncias, como a Samaria e a Judeia.

Estima-se que, na época, a Palestina tinha extensão territorial de 240 km. Jesus percorreu toda a Palestina por mais de uma vez. E não fez isso utilizando carro ou avião, tampouco montando um animal. Ele fez todo o percurso a pé, usando sandálias, enfrentando o vento empoeirado, o clima quente do leste e as fortes tempestades do oeste. E, nessas longas viagens, Jesus não tinha hotel para se hospedar. Se não podia se hospedar na casa de seus discípulos, recolhia-se ao abrigo de árvores frondosas, onde orava ao Pai, contemplando as estrelas no firmamento. Ele mesmo afirmou que *o Filho do Homem não tinha onde reclinar a cabeça*.[74]

É este Jesus que continua, até os dias de hoje, peregrinando pelo mundo, curando os enfermos e anunciando a Boa-Nova do Reino de Deus. Se ontem o corpo carnal não impediu Jesus de se locomover por milhas e milhas de terra, que dirá hoje, quando o Mestre, na condição de Governador Espiritual da Terra e liberto de qualquer impedimento físico, pode atingir qualquer região do Planeta numa fração de segundo, pela simples vontade do seu pensamento sublimado! Quando Jesus pensa em você, imediatamente Ele se põe ao seu lado.

---

74 Mateus 8, 20.

Na passagem do Evangelho que ora estamos comentando, Mateus realça dois aspectos do Cristo em sua Missão: O Cristo Salvador e o Cristo Redentor. O Cristo que salva é aquele que nos socorre em nossas aflições; aquele que andou por toda a Galileia curando as enfermidades do corpo e do espírito. Geralmente, é para esta faceta de Jesus que nós apelamos quando a crise entra em nossa vida. E é este mesmo Jesus que continua percorrendo as estradas do Mundo em busca dos que sofrem.

Mas o Evangelho nos mostra também outra faceta muito importante do Cristo. É o Cristo Redentor, o Cristo que nos liberta do cativeiro dos equívocos que nos fazem sofrer. Jesus não deseja apenas curar os males que nos afligem. Deseja também ensinar que não venhamos a entrar em contato com o mal e, uma vez tendo nos envolvido com o mal, como nos libertarmos dele. Aqui está o aspecto redentor de Jesus, o mais importante de sua missão e para o qual, creio eu, não temos dado a devida importância.

Mateus afirma que Jesus, além de curar, percorria as sinagogas ensinando a Boa-Nova do Reino. Cristo não apenas cura, mas, sobretudo, ensina quais são as Leis Espirituais que presidem o nosso destino. Proponho, aqui, duas indagações muito importantes para a nossa reflexão, pois, a partir daí, poderemos estabelecer mais proximidade com o Cristo: 1) Por que Jesus ensinava? 2) O que Ele ensinava?

Para responder à primeira questão, eu vou me valer das próprias palavras de Cristo:

Conhecereis a verdade e a verdade vos libertará.[75]

---

[75] João 8, 32.

Jesus pretende nos tirar da ignorância espiritual, o motivo dos desacertos que temos cometido ao longo da nossa história, os quais nos têm feito sofrer. O sofrimento é a ação do homem em descompasso com as leis divinas. Interessante observar que o único título que Jesus invocou para si foi o de Mestre.[76] Isso ele fez para chamar a nossa atenção para o eixo principal de sua missão, que era não apenas a de nos socorrer em nossos padecimentos, mas, principalmente, a de nos libertar da cegueira espiritual por meio da luz dos seus ensinamentos.

Tocamos o coração de Jesus não apenas quando pedimos a ele que nos ajude em nossas aflições, mas também o tocamos profundamente quando decidimos ouvir os seus ensinamentos e nos esforçar para inseri-los no contexto da nossa existência. Jesus tem forte preocupação de educar o homem a agir melhor, porque, a partir disso, a vida do homem melhora por si só. Cristo é capaz de nos ajudar a sair do fundo do poço de qualquer dificuldade, mas a vivência dos seus ensinamentos evitaria que caíssemos no poço.

Todas as vezes em que procurarmos os ensinamentos do Cristo, tentando compreendê-los e contextualizá-los em nossa vida, tenhamos a certeza de que estaremos ligados a ele, e de que não nos faltarão sua inspiração e seu amparo, pois o Mestre se interessa pelo discípulo, tanto quanto o discípulo se interessa por seu Mestre. Quando você busca aprender com o Mestre Jesus, Ele também o procura para lhe dar o aprendizado de que você necessita. Nisso

---

76   Mateus 23, 8.

ocorre o nosso encontro com Jesus, ou seja, duas vontades se completam: a nossa, de aprender, e a dele, de ensinar.

Mas, afinal de contas, o que Jesus nos ensina? Eis a segunda questão proposta. Mateus diz que Jesus ensinava *a Boa Notícia do Reino*. A que Reino Jesus se referia? Era ao Reino de Deus, o qual, segundo o Mestre, está dentro de nós.[77] Em todo o Evangelho, Jesus ensinou quais são as sete chaves que abrem as portas deste Reino:

1) Humildade;[78]
2) Misericórdia;[79]
3) Desapego;[80]
4) Perdão;[81]
5) Fé;[82]
6) Perseverança;[83]
7) Amor.[84]

O exercício de cada uma destas virtudes vai abrindo as portas da felicidade em nossa vida, pois entrar no Reino de Deus é encontrar a felicidade com que tanto sonhamos e que está tão perto de nós. A infelicidade está diretamente ligada à falta de vivência desses ensinamentos espirituais apresentados pelo Cristo há mais de dois mil anos. Desistir dessas verdades é desistir de ser feliz! Vamos refletir seriamente sobre os sete passos da felicidade propostos pelo

---

77 Lucas 17, 21.
78 Mateus 5, 5.
79 Mateus 6, 7.
80 Mateus 6, 19-20
81 Mateus 6, 15.
82 Lucas 8, 48.
83 Mateus 10, 22.
84 Marcos 12, 31-31.

Mestre e verificar em quais deles estamos necessitando avançar. Estacionar é abraçar a dor. Eu sei que preciso melhorar em todos, mas noto que meus problemas estão diretamente ligados aos tópicos nos quais o meu desempenho é menor. Estou certo de que com você também é assim.

Jesus é o Mestre da felicidade, pois nos ensina que ela está dentro de nós e que pode ser alcançada à medida que formos penetrando o Reino dos Céus aqui na Terra mesmo, através da utilização das sete chaves às quais nos referimos. Jesus nos deu o mapa do tesouro. Estávamos perdidos e ele nos deu um autêntico *GPS*[85] para a nossa evolução espiritual, indicando-nos o caminho que deveremos seguir para sermos felizes.

Se estivermos dirigindo e o *GPS* nos disser para entrarmos à direita, nós obedeceremos ao comando, pois não queremos nos perder. Da mesma forma, quando estivermos ofendidos, por exemplo, o *GPS* de Jesus nos falará para perdoar. Se não seguirmos a orientação, vamos nos perder no caminho da felicidade e nós mesmos sofreremos as consequências pelo desvio da rota. Não seguir os sete passos propostos por Jesus nos deixará mais distantes da felicidade e mais próximos da dor, da miséria e da doença. Que não nos lembremos apenas do Jesus que salva! Que também nos interessemos vivamente pelo Jesus que ensina a não nos perdermos nos caminhos da vida, sofrendo desnecessariamente.

---

85 *Global Positioning System*. GPS é um sistema de radionavegação baseado em satélite, desenvolvido e operado pelo Departamento de Defesa Americano. As funções básicas de um GPS são informar as coordenadas de sua posição na Terra e dar orientação de navegação para qualquer outro ponto.

ORAÇÃO

Amigo Jesus, muitas vezes, sinto-me desorientado na vida. Ajoelho-me diante de você, rezo, mas sinto que fico com a mesma sensação. Muitas vezes, eu peço que me cure, mas eu continuo doente. Peço que me abra uma porta profissional, e as portas continuam trancadas. Rogo para que endireite os caminhos de um filho perdido no vício, e ele continua cada vez mais atolado no erro. O que acontece, Jesus? Tire-me esta dúvida! Por que você cura alguns e não cura outros? Faço um silêncio querendo ouvir a voz de meu Mestre. E, dentro do meu coração, ouço as suas palavras meigas: "Filho amado, meu amor cobre todas as ovelhas do meu rebanho. Ninguém está longe do meu olhar atento. Mas o Pai Celeste dá liberdade a cada filho para escolher o aprisco onde deseja permanecer, e quase sempre meus irmãos se distanciam completamente das estâncias de paz e amor que eu lhes ensinei. Eu continuo chamando todos os meus amigos para que voltem o quanto antes à estrada do amor, inclusive faço isso através deste livro. Mas muitos ainda resistem em retornar. Contudo, eu não desisto de ninguém, como não desisto de você que me busca nesta prece. O meu silêncio não é inércia; é espera de que cada filho tome a decisão de seguir os passos da felicidade que eu lhes ensinei em nome do Pai, que vela por todos nós. Assim que eles derem o menor sinal de transformação, eu os receberei em meus braços fortes e acolhedores."

Obrigado, Jesus, por seu infinito amor!
Eu quero retornar. Assim seja!

Sepultem os seus mortos

> *Deixe que os mortos sepultem*
> *os seus mortos.*
> Jesus (Lucas 9, 60)

Enquanto caminhava rumo a Jerusalém, Jesus se aproximou de um homem e o convidou a segui-lo. A resposta ao convite foi a seguinte:

Senhor, primeiro, deixe-me voltar e enterrar o meu pai.

Diante da condição imposta pelo convidado, Jesus lhe dirigiu novamente a palavra e pronunciou a conhecida frase que abre este capítulo:

Deixe que os mortos sepultem os seus mortos.

O que Jesus pretendeu dizer com tal afirmação? Não acredito que o Mestre tivesse menosprezado o desejo mais do que humano de um filho querer sepultar o pai. Creio que Jesus apenas aproveitou a situação para provocar uma reflexão mais profunda a respeito da condição necessária para aqueles que desejam a felicidade pela única via possível, a do nosso desenvolvimento espiritual. O princípio que está contido na afirmação de Jesus é que ninguém avança espiritualmente, e, portanto, não consegue ser feliz, se não enterrar os mortos que ainda estão acordados dentro de si mesmo, os quais se assemelham a âncoras que não deixam a embarcação da nossa vida sair do porto para navegar.

Cristo formulou àquele homem o convite para que o seguisse, mas o convidado opôs um obstáculo da vida material. Assim somos nós, que também temos sido convidados por Jesus ao crescimento de nossos Espíritos e, costumeiramente, apresentamos os mais variados impedimentos terrenos a uma vida mais espiritualizada. Estes obstáculos são os mortos que estão muito vivos dentro de nós.

Muitas vezes, a religião é vista por nós como um mero acontecimento social, e não como um caminho que nos liga à fonte divina que nos criou e de onde procedem a energia fundamental que nos sustenta e a sabedoria que nos ilumina. Imagine que somos postes de iluminação e que a nossa religiosidade seja o fio que nos liga à usina que gera toda a energia capaz de iluminar a nossa vida. Quem se distancia dos valores espirituais corta o fio de ligação com a usina divina, e, por conta disso, passa a viver na escuridão, na qual o materialismo, inevitavelmente, coloca todos aqueles que endeusam os valores da Terra, sempre passageiros, em detrimento dos legítimos tesouros espirituais, que permanecerão conosco para sempre.

A tal respeito, Chico Xavier se pronunciou dizendo que:

A falta da ideia de Deus e a ausência de religião no pensamento da criatura geram tendências à criminalidade, à violência, à subversão, a dificuldades que chegam, às vezes, até a loucura.[86]

---
86 Chico Xavier, a terra e o semeador, IDE Editora.

Por isso, precisamos dar muita atenção ao nosso *status* espiritual, lembrando que o corpo de carne é apenas uma veste temporária do Espírito, que veio à Terra em missão de reajustamento e progresso. Quando da nossa viagem de regresso ao Mundo Espiritual, nenhum bem material irá conosco. O que é da Terra fica na Terra. O que é do Espírito segue com o Espírito. Somos Espíritos em viagem pela Terra e daqui nada poderemos levar, a não ser as conquistas que nosso Espírito fez no campo da inteligência e do amor.

As escolas na Terra preparam o desenvolvimento da nossa inteligência. As religiões fomentam o desenvolvimento do amor. Tanto quanto buscamos o aprimoramento do intelecto, também devemos buscar o aprimoramento do amor em nós, e a vida religiosa é uma escola para nossos Espíritos. Não estou me referindo aqui apenas às formalidades religiosas, mas falo de uma vida centrada em Deus e nas consequências espirituais que tal posição implica.

Quem está ligado a Deus está conectado ao amor, e esta é a experiência mais significativa que nos poderá ocorrer em toda a vida. A partir dela, sentindo que somos amados pelo Pai Celestial, passamos a nos amar e também a sermos canais de extensão do amor divino ao nosso semelhante. Esta é a verdadeira religiosidade que nos compete cultivar e que nos proporciona felicidade sem igual, mas que, muitas vezes, é sufocada por uma visão de vida materialista e, portanto, imediatista e egocêntrica.

Enquanto a nossa atenção se fixar exclusivamente nos interesses terrenos; enquanto nossa alma não se alimentar das coisas espirituais, nosso Espírito se enfraquecerá; o vazio interior nos dominará; as coisas terrenas já não serão capazes de preencher nossa sede de felicidade; a depressão nos atingirá cada vez mais; os ansiolíticos continuarão a ser os remédios mais vendidos no mundo e as taxas de suicídio subirão vertiginosamente.

Fechamos os olhos às questões espirituais da vida, mas, quando a dor nos visitar; quando a doença incurável nos surpreender; quando a morte ceifar a vida de um ente querido; quando o desastre moral nos afogar em lágrimas de aflição, nosso patrimônio material não conseguirá enxugar uma lágrima sequer do desespero que irá nos envolver, tampouco a ciência será capaz de curar as feridas que dilaceram o nosso Espírito.

Em tais momentos, os bens materiais, por mais valiosos que sejam, de nada servirão para curar as feridas que estão na alma, exatamente porque, em nossa vida, adiamos o encontro com a nossa realidade íntima pelos mortos que ainda vivem dentro de nós. As coisas mortas são aquelas que não nos podem dar a vida. Você poderá deixar um grande patrimônio material para seus herdeiros, mas, se não plantou amor e carinho no coração deles, provavelmente eles se esquecerão de você tão logo a herança seja repartida. Por isso, não deixe que as preocupações materiais matem as relações afetivas que podemos construir junto àqueles que cruzam a nossa vida. Bens materiais não alimentam o Espírito de ninguém!

Quando a morte se aproximar de você, não acredite que dinheiro algum seja capaz de confortá-lo neste momento. Quem viveu no egoísmo, geralmente, se encontra muito só neste momento tão difícil. Mas quem acumulou tesouros espirituais terá, neste instante, o amparo do amor que cultivou nos familiares; a companhia afetuosa das amizades que construiu e manteve ao longo da vida; o conforto da fé na vida espiritual, que o aguarda além das barreiras físicas, e as preces tão imprescindíveis de todos aqueles em que fomos capazes de semear um gesto de amor e carinho. Você poderá estar num leito simples, num hospital sem grandes recursos, mas sentirá uma riqueza espiritual sem tamanho, porque sua vida foi importante para muitas pessoas, e não apenas para você mesmo.

Eu tenho certeza de que, por meio da leitura deste singelo livro, você está tendo um encontro com Jesus e que ele o convida a segui-lo! Você talvez se impacte com a proposta, sinta medo, porque acredita que terá de vender todos os seus bens, deixar sua família, seus amores. Mas nada disso é verdade! Jesus não deseja que você abandone nada ou venda alguma coisa! Ele apenas quer que você mude sua maneira de lidar com tudo isso. Você pode possuir todos os bens da Terra, desde que não seja possuído por eles. Você pode ser o homem mais importante do Mundo, desde que não perca a humildade. Você pode ser o mais inteligente de todos, desde que não perca a simplicidade. Você pode ser o mais famoso, desde que não se esqueça de que mais importante do que ser amado é amar.

O Cristo deseja que o amor seja mais importante do que tudo em nossa vida. Que a cada dia tenhamos mais amigos e menos inimigos. Que sejamos também ricos investidores em fraternidade; que jamais nos esqueçamos de que os bens que possuímos pertencem verdadeiramente a Deus e que, se porventura temos mais do que os outros, é porque temos a missão de compartilhar nossas riquezas com os que têm menos. Que não nos esqueçamos de que a nossa verdadeira vida é a espiritual, e que a experiência na Terra é um meio que Deus nos concede para aprendermos a viver a verdadeira felicidade espiritual!

Mas, para que esta felicidade nos invada, temos de enterrar todos os nossos mortos.

ORAÇÃO

Mestre Jesus, hoje quero falar com você sobre os mortos que estão enterrados dentro de mim. Quantas coisas me impedem de ser feliz! Quantas mágoas, quantas tristezas e decepções! Quantas lutas pelas posses materiais, que me deixam exaurido; quanta ânsia pelo "ter" e quanto descaso pelo "ser"! Quanta vida centrada no que é passageiro e quanto tempo perdido para o que é eterno! Ajude-me, Cristo amigo, a enterrar o que não me pode dar a vida com que tanto sonho. Ajude-me a sepultar mágoas e tristezas pelo remédio do perdão. Ajude-me a sentir o quanto Deus me ama, para que eu possa definitivamente me amar também. Como me sinto morto sem amor! Não quero mais sentir isso dentro de mim! Não quero este vazio que me angustia, esta dor que não passa! Quero o amor de volta para mim. Auxilie-me, Jesus, a sentir Deus na minha vida e, sobretudo, a procurá-lo diariamente. Que eu o encontre não apenas nos templos de pedra, mas no altar da natureza; no sorriso inocente de uma criança; no andar cansado de um idoso; no ventre de uma gestante; na planta que nasce em pleno deserto. Faça-me compreender, Mestre amado, que a vida na Terra é tão rápida, e que por isso não posso perder tempo com aquilo que não seja eterno. Ajude-me a não olhar tanto para trás ou para a frente, porque o melhor da vida é o que eu sou capaz de fazer neste exato instante. Assim seja!

Jesus quer os seus frutos

> *No dia seguinte, quando eles voltavam de Betânia, Jesus teve fome. Viu de longe uma figueira cheia de folhas, e foi até lá para ver se havia figos. Quando chegou perto, encontrou somente folhas, porque não era tempo de figos. Então disse à figueira:*
> *— Que nunca mais ninguém coma suas frutas.*
> *Evangelho de Jesus segundo Marcos (11, 12-14)*

Jesus não deixou de chocar os discípulos com a sua atitude de amaldiçoar a figueira estéril. É claro que a intenção do Mestre foi outra, que não a de simplesmente fazer secar a figueira, num gesto incompatível com a sua natureza mansa e humilde. Como de costume, Jesus aproveitava as situações do cotidiano para ensinar lições de grande valia, como foi neste caso da árvore que não tinha frutos.

E qual seria a lição oculta que o Cristo desejou nos transmitir? Tomando por base que a figueira estava sem figos e que tal fato indignou Jesus, podemos concluir que ele comparou o homem à figueira, e que, portanto, nascemos para dar frutos. O homem está no Mundo para oferecer à comunidade onde se encontra inserido os talentos e capacidades que Deus confiou a cada um de nós. Precisamos verificar se também não temos sido uma figueira estéril!

Será que apenas não temos as folhas da aparência? Eu tenho visto muitas pessoas com um potencial fantástico, mas um potencial que não se realiza na prática, seja por medo, comodismo ou até pela ignorância de não reconhecerem em si mesmas as capacidades que possuem para realizar seus sonhos. Tudo está em nós. Nada nos falta, pois Deus plantou em nós as sementes dos talentos e capacidades que nos levarão à conquista das aspirações da nossa alma.

Mas tudo está em forma de semente. Precisamos fazer com que esta semente saia da sua casca, rompa a terra, cresça e desabroche de acordo com os frutos que é capaz de dar. Se a semente ficar escondida na terra, com medo de crescer, com preguiça de romper a terra e enfrentar as ervas daninhas, não se expondo ao sol e à chuva, não passará de uma semente desconhecida. Esta é a maldição que Jesus lançou à figueira, a maldição da inutilidade e do vazio interior que todos nós sentiremos, se não dermos os frutos que somos capazes de produzir.

A esterilidade de nossos talentos nos leva à sensação de frustração. A palavra "felicidade" deriva do latim "*felix*", cujo significado era, originariamente, "fértil", "frutuoso" (que dá frutos), "fecundo". Portanto, a felicidade está diretamente associada à nossa fertilidade, isto é, à capacidade de realização dos nossos sonhos por meio da execução dos nossos talentos. A figueira estéril é o símbolo do sofrimento oriundo da pessoa que não frutificou na vida.

A humanidade tem fome dos nossos frutos, assim como Jesus estava com fome naquele momento. O mundo tem fome dos nossos talentos, as pessoas precisam de nós, necessitam dos recursos que nós somos capazes de dar. Se você não saciar essa fome, haverá um problema geral de abastecimento de recursos, e essa carência, que começou em você, terminará por atingi-lo também, porque na vida somente recebe quem dá. Se você nega seus talentos à vida, inevitavelmente a vida não terá como abastecê-lo com os recursos que você precisa dos outros. É uma questão de matemática cósmica!

Há outro aspecto importante nesta passagem de Jesus. Você reparou que no Evangelho está dito que a figueira somente tinha folhas porque não era tempo de figos? Ora, se não estava no momento de dar figos, por que Jesus se irritou com a figueira? Uma interpretação literal do texto nos levaria a supor que o Cristo teria agido sem razão. Mas sabemos que o Mestre não se comportaria movido por ira ou sem a compreensão da natureza das coisas. Então, por qual razão Ele queria que a figueira desse frutos fora da estação? Cristo quis chamar a atenção do homem que só produz quando os ventos lhe são favoráveis, que só tem fé quando tudo está caminhando bem em sua vida. É assim que geralmente agimos. Vamos bem quando as coisas estão bem.

Mas e quando o barco balança? Quando surge um problema maior? Quando vem uma tempestade mais forte? Comumente nos entregamos ao desalento e a inércia toma conta de nós. E, assim, deixamos de produzir os frutos necessários, gerando mais problemas em nossa vida. O desânimo é a pior tragédia que nos poderá acontecer, pois ele sufoca a semente. Jesus nos ensina que, nas adversidades, precisamos dar frutos também. Por isso, precisamos trabalhar mais, ter mais fé, orar mais, crer mais, servir mais, ajudar mais, amar mais. Quando agimos assim nos tempos de crise, tocamos mais firmemente o coração de Jesus, pois ele nunca deixou de semear amor, mesmo nos momentos mais cruéis de sua jornada pela Terra. Fiquemos atentos a este ensinamento do Mestre:

Eu digo isso para que, por estarem unidos comigo, vocês tenham paz. No mundo vocês vão sofrer; mas tenham coragem. Eu venci o mundo.[87]

E, com Jesus, nosso inverno não será tão rigoroso. Com Jesus, nossos frutos se multiplicam; a carga não fica tão pesada; nossos braços ficam mais fortes; nossos pés conseguem ir mais longe; a paz toma conta de nós. Toquemos o coração de Jesus, mostrando a ele que não somos uma figueira inútil. Convido você a oferecer ao nosso Mestre Amado, que está com fome, os figos tenros e doces que a figueira da sua vida é capaz de produzir!

---

[87] João 16, 33.

ORAÇÃO

Amado Jesus, analisando minha vida, constato que, em muitos aspectos, ainda sou uma figueira sem frutos. Eu não posso esconder de você que, na maioria das vezes, uma preguiça me invade e me deixa inerte diante das iniciativas que preciso tomar para alcançar meus objetivos. Creio que isso ocorra porque ainda me comporto como a criança que deseja encontrar tudo pronto em sua vida. Em outros momentos, noto que me omito, porque me sinto incapaz de realizar os sonhos que acalanto em minha alma. Acredito que o complexo de inferioridade seja o meu maior adversário. Porém, querido Mestre, analisando sua vida e mensagem, aprendi que não tentar é mais sofrido do que tentar e não dar certo. Porque, errando e aprendendo, chegarei aos meus objetivos, e, não realizando, jamais sairei do lugar sofrido onde me encontro. Auxilie-me, amigo Jesus, a não ser uma figueira sem frutos! Eu sei que tenho tantas coisas boas dentro de mim... Por isso, ajude-me a perder o medo, a preguiça e a sensação de que não sou capaz. Ajude-me a confiar em Deus e a confiar em mim. E, sobretudo, auxilie-me a entender que sou como uma estrela, ainda que pequena, e que, como toda estrela, devo fazer brilhar a minha luz!

Assim seja!

Purificação interior

> *Nisso, um leproso se aproximou e caiu
> de joelhos diante dele, dizendo:
> "Senhor, se queres, tens o poder de purificar-me".
> Jesus estendeu a mão, tocou nele e disse:
> "Eu quero, fica purificado".
> No mesmo instante, o homem ficou
> purificado da lepra.*
> Evangelho de Jesus segundo Mateus (8, 1-3)

LEPROSO É A PESSOA PORTADORA DA ENFERMIDADE QUE, na época de Jesus, era chamada de "lepra" ou "morfeia", e que, hoje, é denominada hanseníase. É uma doença infecciosa severa, provavelmente a mais antiga do mundo, que atinge os nervos e a pele, e que vem afetando a humanidade há, pelo menos, quatro mil anos. Há registros escritos, do ano de 1350 a.C., sobre a existência desta doença no Egito.[88]

Na época de Jesus, a lepra era uma doença incurável e os seus portadores eram obrigados a viver isolados da sociedade. Como não havia hospitais ou casas de tratamento, os leprosos tinham de viver em aldeias distantes

---
[88] http://pt.wikipedia.org/wiki/Lepra, consulta em 20 de junho de 2012.

das cidades, geralmente desabrigados, e não podiam se aproximar das pessoas. Além do sofrimento físico que a doença impunha, os chamados leprosos experimentavam também grave dor moral, decorrente do isolamento social e do preconceito que a sociedade tinha para com eles.

Mas Jesus nunca se distanciou dos leprosos, tendo realizado inúmeras curas entre eles, conforme relatam os Evangelhos. Por exemplo, o evangelista Lucas, que era médico, relata que Jesus chegou a curar dez leprosos de uma só vez.[89] No presente capítulo, estamos refletindo sobre mais uma cura realizada pelo Cristo. Um leproso se aproxima de Jesus. Isso era proibido aos leprosos de então. Todos ordenariam que o doente se afastasse ou eles mesmos sairiam em retirada veloz. Mas o Divino Médico não o rejeita, não o expulsa, não o manda ir embora; tampouco se afasta do homem cuja moléstia infecciosa lhe expunha as carnes pútridas e o rosto deformado.

É assim também que Jesus age conosco quando somos defrontados pelas dores do corpo e da alma. Quando o sofrimento nos transfigura as próprias feições; quando, muitas vezes, as pessoas se afastam de nós, com receio de que venhamos a lhes pedir algo em nosso socorro; quando a doença grave nos isola no quarto sem recursos e quando a miséria nos torna pessoas sem valor para o mundo, o Amigo Jesus surge e posta-se ao nosso lado, enxugando o nosso pranto, segurando firme a nossa mão, enchendo nosso coração de esperança e ensinando que a dor, quando suportada com paciência e dinamismo, encerra em si

---

[89] Lucas 17, 11-14.

mesma a oportunidade de libertação de nossas mazelas espirituais para a glória de dias venturosos.

Vejamos, no caso em análise, quais atitudes o leproso teve para obter a cura. Narra o Evangelho que o doente primeiramente se aproximou de Jesus, ou seja, procurou proximidade com o Cristo. De nossa parte, será que não andamos distantes de Jesus? Quando foi a última vez que dialogamos com o Mestre em nossas preces? Sim, talvez tenhamos pedido algo a ele em oração, mas quando foi que perguntamos o que ele quer de nós? Há quanto tempo não meditamos sobre os ensinamentos de Jesus em nossa vida? Ter proximidade com o Cristo não se mede apenas pela quantidade de vezes em que solicitamos ajuda ao Mestre. É também abrir espaço para que ele se aproxime de nós, a fim de que possamos também atender à sua vontade.

O leproso da história nos ensina a ter esta proximidade. É preciso ir ao encontro de Jesus, tocá-lo, ouvi-lo, senti-lo, e não apenas esperar que ele venha até nós para nos tocar, nos ouvir e nos sentir. É o leproso quem toma a iniciativa do encontro com Jesus. Ele se aproxima do Mestre, e não fica parado, imóvel, surdo, porque, tão logo se aproxima, cai de joelhos diante de Jesus. Não se trata de mera atitude de reverência; antes, é um gesto de quem quer algo mais de Jesus do que uma simples cura física. Um gesto que mostra arrependimento e humildade por estar diante daquele que é o Caminho, a Verdade e a Vida.[90]

---

90 João 14, 6.

Quantas vezes nos aproximamos de Jesus e não caímos de joelhos? Ficamos imobilizados pelo orgulho das suposições de que estamos sempre certos e de que o sofrimento que bate à nossa porta é um engano da Justiça Cósmica. Se nossa vida está em perigo, é porque nos desviamos do roteiro espiritual que Jesus traçou em seu Evangelho. O sofrimento é o convite para que retornemos ao caminho da felicidade, assim como uma pessoa enferma toma as medidas necessárias para recuperar a saúde. Mas, para tanto, é preciso ter joelhos flexíveis, a fim de enxergarmos o que estamos fazendo de errado conosco ou com o nosso próximo.

O leproso nos ensina a postura do arrependimento e da humildade ao cair de joelhos diante de Jesus, suplicando:

Senhor, se queres, tens o poder de purificar-me.

Só pede para ser purificado quem se sente impuro, quem tem impurezas a limpar. Aproximar-se de Jesus implica reconhecer as nossas impurezas, não aquelas que estão no corpo, fáceis de ser removidas com água e sabão, mas aquelas que mancham nosso Espírito pelas tintas do desamor.

Vamos cair de joelhos perante o Cristo e admitir que sentimentos como orgulho, ódio, agressividade, rancor, inveja, mágoa, culpa e egoísmo mancham o nosso Espírito de impurezas e fazem o corpo adoecer, a prosperidade ruir, a harmonia interior estremecer, a vida depauperar. Antes de termos a lepra no corpo, temos a lepra no Espírito. Qualquer doença que se manifesta no nosso mundo concreto surgiu, antes, em nosso mundo abstrato.

Não por outra razão, Jesus acentuou em seus ensinamentos a necessidade do amor, do perdão, da humildade, de sermos justos e de vivermos em paz com o próximo. Estes sentimentos purificam a alma e trazem a verdadeira felicidade à nossa vida. O leproso nos ensina, antes de qualquer coisa, a pedir a Jesus que nos purifique, isto é, que nos ajude a realizar o trabalho de purificação interior, que nada mais é do que limpar a alma das impurezas que nos tornaram infelizes.

Talvez não tenhamos forças para perdoar quem nos feriu, mas, se pedirmos a Jesus que ele nos ajude a perdoar, certamente receberemos o auxílio necessário e ficaremos limpos dos detritos da mágoa. Peçamos a Jesus que o ódio não faça morada em nós; que a tristeza não nos domine; que a cólera não tome nossa boca e nossos braços. Jesus tem o poder de nos purificar, quando queremos ardentemente nos ver livres das impurezas que nós mesmos nos permitimos ter.

Quando o enfermo da lepra, de joelhos, disse a Jesus que desejava ser purificado, imediatamente o Mestre lhe tocou com as mãos e afirmou que também era da sua vontade que o homem ficasse limpo. Naquele exato instante, diz o Evangelho, o homem ficou purificado da lepra. Jesus também deseja nos limpar. Vamos cair de joelhos diante do Mestre. Ajoelhe-se em Espírito, reflita sobre as suas impurezas; queira ardentemente se libertar delas; diga a Jesus que você quer ser purificado, e Jesus, olhando nos seus olhos, repetirá a você o que disse ao leproso:

Eu quero, fica purificado.

ORAÇÃO

Divino Amigo Jesus, hoje eu me sinto como o doente de lepra que se ajoelhou diante de você. Estou doente, no corpo e na alma. Sinto que as pessoas se distanciaram de mim. Quando mais eu necessitava, muitos amigos se afastaram. Nem mesmo os parentes me compreenderam. De um momento para outro, vi-me só. Somente a dor tem me feito companhia, somente as lágrimas tocam meu rosto cansado de sofrer. Mas hoje eu o reencontrei nas páginas deste livro. Você me tocou, Jesus! Eu senti! Você não me disse qualquer palavra, mas eu compreendi tudo, Mestre. Compreendi que minhas dores representam o processo de drenagem das impurezas de minha alma, que era também tão egoísta quanto as pessoas que me largaram à própria sorte. Eu mesmo me abandonei, Jesus... Não me dei amor, respeito e consideração, e fiquei cobrando isso dos outros. Enquanto eu tinha alguma importância no mundo, as pessoas me consideravam. Depois que perdi tudo, fui caindo no esquecimento daqueles que me bajulavam. Confesso que eu também agi desta forma com muitas pessoas. E hoje você me deu a mais linda lição de amor que eu pude sentir em minha vida. Estou aqui doente, miserável, abandonado, esquecido, sem nada a oferecer ao mais pobre dos pobres, e você vem me visitar, vem estender sua mão amiga, seu sorriso meigo, seu olhar de misericórdia. Purifique-me, Jesus. Lave as feridas do meu egoísmo, limpe o ódio que me corrói, o desamor que me aniquila.

Eu quero ficar limpo, Mestre!

Eu quero, eu preciso, eu estou. Assim seja!

Sem amor eu nada seria

> *Amarás o Senhor, teu Deus, com todo o teu coração, com toda a tua alma e com todo o teu entendimento. Esse é o maior e o primeiro mandamento. E o segundo semelhante a este é: Amarás o teu próximo como a ti mesmo. Destes dois mandamentos depende toda a lei e os profetas.*
>
> *Jesus (Mateus 22, 37-40)*

Esta foi a resposta dada por Jesus a um fariseu que lhe havia perguntado qual era o maior mandamento espiritual. Conforme já expusemos ligeiramente em capítulos anteriores, os fariseus eram rigorosos observadores das práticas exteriores dos cultos e das cerimônias religiosas, porém escondiam costumes dissolutos, eram orgulhosos e dominadores. Gostavam de ostentar virtudes que, na verdade, não possuíam.

Eles se transformaram em inimigos de Jesus, porque o Mestre sempre levou em consideração mais a essência do que a forma, o conteúdo do que o frasco, e não usou de meias palavras para desmascarar os hipócritas que procuravam disfarçar seus erros com práticas religiosas que eram mais aparência do que qualquer sentimento devocional sincero.[91]

---

91 Mateus 23, 1-39.

Narra o Evangelho que o fariseu faz a pergunta a respeito de qual seria o maior mandamento apenas e tão somente para experimentar Jesus.[92] Ele não estava interessado em aprender com o Cristo. Queria testá-lo, colocá-lo em contradição com a Lei de Moisés, a fim de ridicularizá-lo perante a multidão, pois a mensagem de Jesus representava grande incômodo para os fariseus. E, evidentemente, aquele propósito maquiavélico não foi atingido porque Jesus respondeu categoricamente que não viera revogar a Lei Divina recebida por Moisés (Os Dez Mandamentos), mas, antes, cumpri-la.[93] Em sua magistral resposta, Jesus apresenta ao mundo uma síntese perfeita da Lei Divina:

Amar a Deus sobre todas as coisas e ao próximo como a si mesmo.

Basicamente, a única virtude capaz de realizar o divino em nós é o amor. Mas de que espécie de amor Jesus estaria falando? Nós reduzimos o espectro do amor em nossa vida cotidiana, limitando-o, quando muito, à experiência afetiva com outra pessoa. É o amor *Eros*, o nível mais primário da experiência amorosa, pois, basicamente, é atração física, desejo sexual e expectativa de satisfação pessoal. É mais amor por si mesmo do que pelo outro. Um nível mais avançado é o amor *Philos*, que se desenvolve no âmbito das amizades que estabelecemos com pessoas que possuem características que nos agradam. Damos atenção, carinho e ajuda, mas esperamos receber algo em troca também. Há um desejo de se obter algum benefício em troca. No amor *Philos* já não se fala tanto em "minha felicidade", mas em

---

92 Mateus 22, 34-36.
93 Mateus 5, 17-18.

"nossa felicidade". Poderíamos dizer que se trata de um amor menos egoísta do que o amor *Eros*.

Creio, porém, que quando Jesus falou do amor como a lei divina mais importante em nossa vida, não estava se referindo ao amor *Eros* nem ao amor *Philos*. Ele falava do amor *Ágape*, que é o amor puro, incondicional, não egoísta, porque não busca a própria felicidade, e, sim, a felicidade do ser amado. É o amor que Deus tem por nós. O Pai nos ama independentemente do nosso comportamento. Mesmo quando agimos sem amor, Deus permanece firme no seu amor por nós. Ele não espera que façamos algo de bom para nos amar. Deus nos ama pura e simplesmente porque somos seus filhos. É a este nível de amor que Jesus quer nos levar, o qual poderá ser alcançado a partir da constatação de que já somos amados assim por Deus. Como afirmou o evangelista João:

Nós amamos porque Deus nos amou primeiro.[94]

Jesus também tem esse amor *Ágape* por nós. Ele sacrificou a sua vida pela nossa felicidade. Para nos ensinar o caminho do amor, ele teve de morrer na cruz. O Cristo já não tinha um interesse próprio. O interesse dele era e é o de amar a todos, sobretudo os que não se sentiam amados. Ele nos mostrou o que é o amor que se doa, o amor que perdoa, o amor que sabe conviver com as diferenças, o amor que faz paz, o amor que cura e o amor que seca as lágrimas de quem sofre. O amor é o sentimento que nos liga a tudo e a todos, e somente a partir de sua prática é que nossa vida se torna feliz.

O amor é o melhor de nós. É por meio dele que nos tornamos uma pessoa cativante, dócil, carinhosa, gentil,

---

94 1 João 4, 19.

alegre, corajosa e disposta a ser útil a quem precise. Tais virtudes têm um impacto incrivelmente positivo em nossa vida, pois isso é o que as pessoas mais esperam de nós. Nenhum bem material será capaz de despertar tantas coisas boas nas pessoas como o amor que formos capazes de oferecer a elas.

Somente o amor é a ponte que nos une a Deus, ao próximo e a nós mesmos. Sem amor, vivemos distante de Deus, distante do nosso semelhante e, pior do que isso, distante de nós mesmos. A falta de amor é um corte nessa ligação divina com tudo e com todos. E, a partir desta experiência egoísta, o medo surge como a primeira doença a nos atingir.

Medrosos, nos tornamos ora agressivos, ora apáticos, isolando-nos de um convívio social sadio, o qual, por sua vez, alimenta a solidão e o desejo de viver somente para nós mesmos. A falta de amor nos situa num circuito fechado de forças que não se renovam, daí surgindo inúmeras doenças que são fruto de um deficitário abastecimento energético, além de causar incontáveis problemas nos relacionamentos pessoais e sociais. O amor é abertura para a vida, permitindo a troca saudável de energias entre as criaturas e o próprio Criador. O egoísmo nos deixa aprisionados em nós mesmos, fechados numa cordilheira impenetrável, que nos deixa solitários, doentes e infelizes.

Todas as nossas crises, individuais ou coletivas, são expressões da falta de amor. Que outra explicação teríamos para o fato de que mais de um bilhão de pessoas no mundo ainda passam fome?[95] E como não há falta de

---

95 http://www.estadao.com.br/noticias/internacional,mais-de-1-bilhao-de-pessoas-passam-fome-no-mundo-diz-estudo,623606,0.htm Acesso em 02 de julho de 2012.

comida no Mundo, o problema não está relacionado à escassez de alimentos, e, sim, à sua distribuição. Se as estatísticas ainda não nos convenceram, basta olharmos em nossa casa e verificarmos quanta comida jogamos fora, enquanto milhares de bocas famintas estão à cata daquilo que, para nós não passa de lixo. Está faltando comida ou está faltando amor?

Não estaria também faltando amor a nós mesmos, quando nos permitimos ter comportamentos autodestrutivos? Não há também dentro de nós uma pessoa com fome de amor, esperando um gesto afetuoso? Talvez não haja ninguém alimentando esta pessoa, porque, provavelmente, os outros também estejam famintos. Mas não podemos virar o rosto para nós mesmos e nos permitir atitudes que estão comprometendo a nossa própria vida. Vamos nos alimentar com o amor que Deus tem por nós! Muitas vezes, estamos carentes porque acreditamos que ninguém nos ama. Porém, esquecemos que, antes de qualquer outro, temos o amor de Deus, um amor puro, incondicional e eterno.

E, quanto mais doarmos amor ao próximo, mais o amor crescerá em nós, pois, sendo Deus a manifestação suprema do amor, todas as vezes em que amarmos, estaremos manifestando Deus em nós, com todas as consequências incrivelmente positivas a que tal postura levará. Há sempre mais alegria em dar do que em receber, afirmou Jesus.[96] Então, por este raciocínio do Cristo, há menos alegria quando se é apenas objeto de amor alheio (Amor *Eros* e *Philos*), e muito mais alegria quando se é sujeito ativo do amor ao próximo (Amor *Ágape*).

---

96 Atos 20, 35.

Há muita tristeza no mundo porque ainda há muita falta de amor. Há muita depressão porque há muito egoísmo. A alegria que formos capazes de transmitir aos outros será o melhor antidepressivo para as nossas tristezas. Mas por que temos tanta dificuldade de amar? Estou certo de que o egoísmo nos traz a sensação de nos sentirmos isolados de tudo e de todos, como se a nossa vida não estivesse interligada com a vida de todas as pessoas no Planeta. O outro é o outro, e a minha falsa impressão é a de que a vida dele é dele e eu não tenho nada a ver com isso. Ledo engano! Não existe essa separação que o egoísmo nos faz sentir. Deus é amor, e o amor une todas as coisas. Não é apenas o laço consanguíneo que nos liga às pessoas da nossa família. Antes dos vínculos genéticos, nós temos os vínculos espirituais com a família de Deus.

O homem faminto caído na rua é meu irmão. Eu estou nele e ele está em mim. Ele tem fome de pão, e eu vivo na solidão. A fome dele se cura com a minha solidariedade e, automaticamente, a minha solidão vai embora. A criança abandonada é minha irmã. Eu estou nela e ela está em mim. Ela tem fome de afeto, e eu padeço de frigidez espiritual. Quando lhe dou carinho, curo suas feridas interiores e, imediatamente, meu coração se aquece. O idoso esquecido no asilo é também meu irmão. Eu estou nele e ele, em mim. Nós dois sentimos solidão. Quando lhe faço companhia, curo o seu sentimento de abandono e, no mesmo instante, esqueço minha tristeza, ao fazer-me amigo de alguém mais triste do que eu.

Eu estou em cada pessoa e cada pessoa está em mim. Nossa jornada aqui na Terra é curarmos uns aos outros.

O egoísmo deixa cada um sozinho na enfermaria dos seus sofrimentos, sem qualquer possibilidade de socorro. Só o amor nos coloca no mesmo quarto, para que ouçamos os gemidos de dor que cada um dá, permitindo, assim, que nos curemos uns aos outros. Deus nos fez irmãos para que pudéssemos sentir o que o outro sente. Esta é a estratégia por meio da qual aprenderemos a amar. Comecemos por sentir o que o outro sente, sabendo que, sendo ele meu irmão, a fome dele também é minha, a dor dele também me pertence, a doença dele também está em mim.

Fechar os olhos para a dor alheia nos levará, futuramente, a experimentar a mesma dor que o egoísmo nos fez insensibilizar os braços e o coração. O sofrimento é o processo compulsório de sensibilização amorosa do nosso ser. O projeto que Deus tem para nós é de nos tornarmos pessoas amorosas, pois, quando amarmos realmente, seremos as pessoas mais felizes do mundo.

Foi pensando nisso que o Apóstolo Paulo escreveu:

Eu poderia falar todas as línguas que são faladas na Terra e no Céu, mas, se não tivesse amor, as minhas palavras seriam como o som de um gongo ou como o barulho de um sino. Poderia ter o dom de anunciar mensagens de Deus, ter todo o conhecimento, entender todos os segredos e ter tanta fé, que até poderia tirar as montanhas do seu lugar, mas, se não tivesse amor, eu não seria nada. Poderia dar tudo o que tenho e até mesmo entregar o meu corpo para ser queimado, mas, se não tivesse amor, isso não me adiantaria nada.[97]

---

97 1 Coríntios 13, 1-3.

ORAÇÃO

Jesus amado, eu quero um amor de verdade. Ensine-me a não ter um amor possessivo, um amor frio e indiferente. Que eu não confunda amor com sexo, amor com posse, amor com lucro. Você me ensinou a amar de um jeito que eu ainda não sei. Acredito que eu ainda seja muito inseguro para amar alguém, por isso, somente quero ser amado. Quem sabe acredito que, se der amor, eu vou ficar bem. O que eu ainda não percebi, Jesus, é que eu já sou amado por Deus desde o momento em que fui criado. Não percebi que este amor de Deus eu recebo todos os dias, todas as horas e todos os segundos. Que este amor divino não cessa mesmo nos momentos em que eu faço as maiores besteiras. Quando eu penso que Deus me ama, mesmo eu sendo esta criatura tão imperfeita; quando eu penso que Ele está de braços abertos para mim, mesmo quando eu sou desumano e cruel com as pessoas, meus olhos se enchem de lágrimas, ao sentir que Deus me ama profundamente, mesmo quando eu não mereço. Conserve este sentimento em mim, amigo Jesus, e que, doravante, eu demonstre mais amor às pessoas e que me trate também com mais amor. Amando-me desta forma, Deus resgatou a dignidade que eu havia perdido, por me achar longe do modelo de perfeição que os religiosos traçaram. Agora, sinto que, mesmo com um coração pequenino como o meu, Deus continua me amando e, só por causa disso, já me deu uma vontade de amar muito mais!

Assim seja!

Renunciar ao mal

> *Quando você vai a um homem como Jesus, tem de abandonar suas próprias ideias e seu ego. Você tem de abandonar completamente suas decisões, porque só se você abandonar suas ideias, suas decisões, seu ego, Jesus pode penetrá-lo.*
> *Osho*[98]

As fortes palavras de Osho foram inspiradas em palavras não menos retumbantes de Jesus:

Se alguém quer me seguir, renuncie a si mesmo, tome sua cruz a cada dia e me acompanhe.

Ninguém poderá seguir os passos de Jesus se não renunciar a si mesmo. Aqui está um ponto em que muitas vezes nos afastamos do Cristo. Percebo que desejamos ardentemente receber os milagres de Jesus, sem que isso implique para nós a obrigação de segui-lo.

Não nos damos conta, porém, de que o maior milagre da nossa vida será o de abdicar dos nossos próprios interesses quando estes colidirem com os interesses do Cristo.

---

[98] *Palavras de Fogo, reflexões sobre Jesus de Nazaré*, Verus Editora.

Quando isso ocorrer, isto é, quando renunciarmos a tudo aquilo que não se ajuste aos planos de Jesus, estaremos num padrão de atitudes tão elevado e positivo que a felicidade, inevitavelmente, baterá à nossa porta, sem precisarmos dos milagres do Cristo. Nós mesmos seremos o grande milagre da nossa vida!

Cristo deseja aproximar-se de nós não apenas para uma terapia superficial de alívio de nossas dores. Como afirma a psicoterapeuta Hanna Wolff:

Jesus não olha só o sintoma, quer conseguir a transformação que permitirá eliminar o sintoma.[99]

Eu proponho a substituição da palavra "Jesus" pela palavra "amor". A frase de Jesus que inspirou Osho a escrever o pensamento que abre este capítulo ficaria assim:

Se alguém quiser seguir o amor, renuncie a si mesmo.

A troca não é sem razão, porque seguir Jesus é seguir o amor, pois o amor foi o maior mandamento que Ele nos deixou e o maior exemplo que ele nos deu. Precisamos ter a coragem de renunciar ao egoísmo, à maldade, ao ódio e ao orgulho, para termos a experiência do amor.

Ninguém consegue amar pensando apenas em si mesmo, crendo-se o único habitante do Planeta que merece atenção, cuidado e amor. Você pode e deve pensar em si mesmo, agir em favor de si mesmo, desde que tais atitudes não impliquem o desamor pelo próximo. A renúncia proposta por Jesus refere-se aos comportamentos capazes de causar prejuízos aos outros, porque isso, inevitavelmente, acabará por prejudicar a nós mesmos. Esta ideia, arraigada

---

99 *Jesus Psicoterapeuta*, Paulinas.

em nossa cultura, de sempre querermos levar vantagem em tudo é um suicídio espiritual, pois toda vantagem obtida à custa de uma lágrima nos olhos de alguém custará outras tantas lágrimas rolando em nosso próprio rosto. Mas, quando arrancarmos sorrisos dos outros, a vida sorrirá para nós também.

Quando lesamos o próximo, um sentimento de culpa é naturalmente acionado em nossos mecanismos psíquicos, acarretando desequilíbrios físicos, emocionais e espirituais. Como fomos criados à imagem e semelhança de Deus, nossa essência é divina e, por isso mesmo, amorosa. Mas, quando permitimos que o desamor dirija as nossas atitudes, ocorre uma desconexão com a fonte divina que nos criou, com o Reino de Deus que está dentro de nós, como afirmou Jesus. Do ponto de vista energético, esta desconexão redundará em carência de abastecimento, com a instalação de muitas doenças, em virtude do enfraquecimento de nossas energias.

Sob o aspecto emocional, o sentimento de culpa afeta a nossa autoestima, pois teremos de conviver com a sensação de que não somos bons o suficiente, daí surgindo as sensações constantes e desagradáveis de insegurança, desvalia e indignidade, que arrasam a nossa vida. Fazer o bem será sempre o melhor investimento em nossa vida emocional, mas, para que tal aconteça, será preciso muitas vezes renunciar ao mal que ainda somos capazes de fazer. Esta é a cruz que Jesus pede para nós tomarmos.

Por isso, diante do mal, o Mestre nos ensinou a dar a outra face,[100] ou seja, a agir de modo diferente daquele que

---

100 Mateus 5, 39.

comumente agimos. Se alguém nos agride, nossa tendência é a de revidar a agressão. Mas quem deseja seguir o amor precisa mostrar a face do perdão, renunciando, assim, ao orgulho ferido. E o maior beneficiado será aquele que perdoa, e não aquele que se vinga. Alguém já escreveu que, se você quer ser feliz por um segundo, vingue-se; mas, se você quiser ser feliz por toda a vida, perdoe. Só conseguimos tocar o coração de Jesus quando nosso coração está voltado para a face do amor e do perdão.

Tenho visto muitas pessoas procurarem os templos religiosos em busca de soluções para seus problemas, mas, embora de joelhos diante da cruz do Cristo, estão com o peito carregado de ressentimentos e animosidades. Eu me pergunto: como Jesus poderá ajudá-las, se elas não renunciaram ao rancor que trazem no coração? Será que nos esquecemos da lição trazida por Jesus de que, primeiro, precisamos nos reconciliar com nossos desafetos para, somente então, pedirmos as bênçãos do Céu?[101]

A maioria dos relacionamentos se torna conflituosa porque cada um está pensando mais em si do que no outro. Casamos com a intenção de que o outro nos faça feliz. Assim o amor desaparece da nossa vida, porque não renunciamos a nós mesmos. O segredo de qualquer relacionamento é querer fazer o outro feliz. Se eu tenho algum defeito que incomoda o outro, devo renunciar a este comportamento negativo para agradar a quem está compartilhando sua vida comigo.

---
101 Mateus 5, 23-25.

Se eu posso fazer algo para tornar feliz quem amo, ainda que isso me custe alguma postura que não me seja habitual, eu devo sacrificar a minha comodidade e interesse próprio, porque isso fará bem a essa pessoa. Nenhum relacionamento se torna ditoso, se não houver renúncia de parte a parte entre os que se gostam. Se cada um trabalhar pela felicidade do outro, a união será rica de bênçãos.

Jamais haverá verdadeiro amor sem renúncia. Seguir Jesus implica uma atitude radical contra tudo aquilo que nos aparta do amor. Jesus, o Espírito mais perfeito que esteve na Terra, o Governador Planetário, renunciou à sua condição de Espírito excelso para viver humildemente entre nós. Jamais usou de seus poderes espirituais para se sobrepor aos outros. Antes, viveu amorosamente entre as pessoas desprezadas pela sociedade de então, a quem tratava como irmãos.

Nem mesmo da cruz Jesus fugiu. Ele, que era o Juiz dos Juízes, aceitou o julgamento perverso que lhe deram. E por que somos tão afetados pela crítica alheia? Porque não renunciamos ao orgulho ferido e, por conta disso, partimos para o revide, nivelando-nos ao ofensor e adquirindo para nós mesmos o carma da vingança. O Cristo foi traído por um beijo de Judas Iscariotes. A traição foi o marco inicial da prisão e morte do Mestre. Tomado de profundo sentimento de culpa, Judas cometeu suicídio, enforcando-se.[102] Mesmo traído, Jesus não se eximiu de, posteriormente, socorrer Judas nas regiões espirituais inferiores.[103]

---
102 Mateus 27, 5.
103 No livro *Pontos e Contos*, do Espírito Irmão X, psicografia de Francisco

Jesus tinha razões de sobra para deixar Judas sofrendo. Mas ele renunciou à sua condição de traído e foi socorrer o traidor. Quem permanece na condição de traído, magoado, culpado, traumatizado, machucado jamais será feliz. Para encontrarmos o amor, temos que abandonar nossos julgamentos; temos que renunciar ao nosso orgulho que, invariavelmente, se sente ameaçado quando os nossos desejos são contrariados.

Seguir Jesus implica renúncia do nosso ego, exige a grandeza espiritual de estender a mão a quem nos tenha prejudicado. Um coração que ama não pode ter inimigos. Quem deseja ser feliz não pode cultivar aversões. Certa feita, um repórter perguntou a Chico Xavier se ele tinha inimigos, e o médium respondeu que não, que apenas tinha amigos momentaneamente distantes. Chico sabia que algumas pessoas não lhe queriam bem e lhe causavam grandes problemas, mas nem por isso as chamava de inimigos, preferindo a carinhosa expressão *amigos momentaneamente distantes*.

De outro modo, como desejar que Jesus seja caridoso conosco, ajudando-nos em nossas dificuldades, se somos intolerantes com as pessoas; se nos omitimos de dar um pedaço de pão a quem tem fome; se cultivamos ódio por quem nos tenha prejudicado; se negamos o próprio perdão a quem nos pede desculpas; se nos julgamos superiores aos outros?

Cândido Xavier, editora FEB, encontramos a notícia do auxílio de Jesus prestado a Judas (capítulo 35).

A renúncia ao egoísmo passa, necessariamente, pela redução da importância que atribuímos a nós mesmos.[104] Jesus, com toda a sua grandeza espiritual, não se omitiu de lavar os pés de seus discípulos, dizendo que nós também precisávamos aprender a lavar os pés uns dos outros.[105] Todos nós temos os pés sujos. Olhe para os seus pés após um dia de trabalho. Eles estão sujos, cheiram mal, talvez tenham calos e unhas encravadas. Jesus pede que lavemos os pés cansados de nossos irmãos. Nenhum sentimento de repulsa ou indignação deve nos tomar, porque nossos pés também estão sujos e fedorentos.

Eu lhe proponho que, neste instante, você deixe Jesus, mais uma vez, ajoelhar-se diante de você para lavar os seus pés. Vamos, veja o Espírito Sublime do Nazareno tirando a poeira dos seus sapatos, retirando sua meia suada, lavando seus pés que trilharam tantas sendas equivocadas, e depois enxugando-os com uma toalha de algodão macia. Este é o nosso Mestre, a quem queremos tocar. Ele se ajoelhou diante de nós para nos servir. E espera que façamos o mesmo diante dos homens, se, de fato, pretendemos segui-lo.

---

104 Sobre o meio de destruir o egoísmo, consultemos o teor da resposta dada pelos Espíritos de Luz à pergunta 917, de *O Livro dos Espíritos*, de Allan Kardec.

105 João 13, 4-15.

ORAÇÃO

Amigo Jesus, eu quero segui-lo. Sei que a sua estrada se chama amor e que dela muitas vezes eu me afasto. O mal que faço ao outro, faço a mim mesmo. Confesso que, frequentemente, eu me afasto da sua cruz, acreditando que sofrerei o que você sofreu. Mas o que não percebo é que estou sofrendo hoje exatamente por não ter aceitado a cruz que você me pediu para tomar. Não crucifiquei meu egoísmo, feri o próximo e, agora, me vejo ferido também. Não crucifiquei meus interesses pessoais quando estes foram capazes de machucar meu semelhante, e hoje vejo os pregos do sofrimento em minha própria vida.

Percebi que tomar a sua cruz é também um gesto de amor por mim, porque, quanto mais eu viver no amor, mais amor eu vou sentir. Ajude-me, Cristo amigo, a sentir a sua presença ao meu lado todas as vezes em que eu tiver de decidir entre o amor e o ódio; entre a caridade e a indiferença; entre o perdão e a mágoa; entre o afeto e a frieza. Que seu amor me toque; que sua paz me abençoe; que sua cruz me sinalize o caminho da minha libertação.

Assim seja!

Entrar na festa

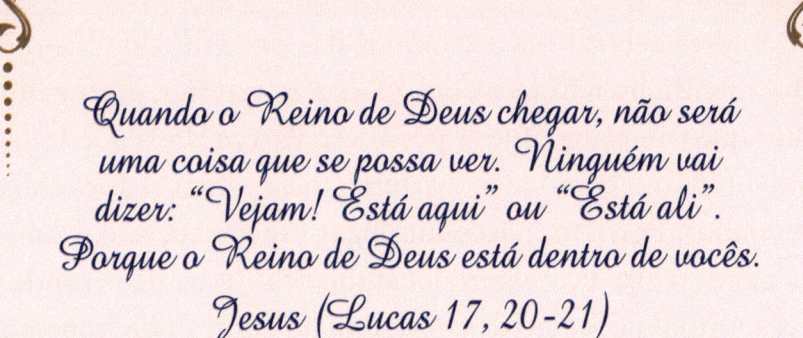

Quando o Reino de Deus chegar, não será uma coisa que se possa ver. Ninguém vai dizer: "Vejam! Está aqui" ou "Está ali". Porque o Reino de Deus está dentro de vocês.
Jesus (Lucas 17, 20-21)

O Reino de Deus foi o ponto central da pregação de Jesus. Em quase todas as suas mensagens e parábolas, o Mestre se referia às condições necessárias para que o homem pudesse entrar no Reino do Pai, dando a entender que o ingresso no Reino deveria ser a nossa maior aspiração. Porém, ao longo do tempo, fomos nos perdendo nas interpretações teológicas do que seria este Reino Celestial; onde estaria e como se apossar dele, muito embora as palavras de Jesus fossem muito claras a respeito destas questões. Mas parece que o homem gosta de complicar o que é simples, talvez para justificar a sua falta de vontade e determinação de aderir ao plano que Jesus apresentou para que todos, sem distinção, pudessem experimentar as delícias espirituais do Reino dos Céus.

A ideia central que extraímos das palavras do Cristo é que este Reino não vem com aparência exterior, porque foi dito que não é algo que se possa ver. Parece claro que Jesus situa o Reino como algo imaterial, não palpável aos olhos humanos. Por isso, não é um lugar específico, não é uma religião, tampouco algum local místico. Jesus deu o endereço virtual do Reino de Deus: está no coração do homem, e pode ser acessado a qualquer instante. Portanto, o Reino Celestial é um estado de espírito que se acessa mediante certas condições que veremos a seguir.

Atitudes exteriores nem sempre nos abrem as portas do Reino. Qualquer gesto de aparente bondade há de estar em ressonância com o que se passa em nosso universo interior. Nós podemos ficar de joelhos diante do altar ou com a Bíblia nas mãos, com um crucifixo pendurado no pescoço ou até mesmo pregando numa tribuna espírita, e nem por isso estaremos, necessariamente, na posse do Reino de Deus, porque tudo pode não passar de mera exterioridade, sem ressonância com o que se passa em nosso íntimo.

Muitas vezes, exaltamos a figura de Jesus, mas nosso coração está cheio de inveja do próximo. Temos uma postura exterior de mansidão, no entanto, intimamente, carregamos labaredas de ódio contra um irmão. Podemos até fazer grandes doações no templo religioso; porém o que nos move, muitas vezes, é apenas a vaidade de sermos aplaudidos pelos outros.

É no campo da nossa intimidade que o Reino de Deus deve ser estabelecido, pelo cultivo das virtudes que abrem as portas deste Reino em nós. O egoísmo é a tranca mais forte que nos impede de alcançar o Reino, deixando-nos fora do banquete que Deus preparou para todos nós, o que significa, em termos práticos, a ausência de felicidade em nossa vida, pois ninguém é verdadeiramente feliz vivendo fora do Reino.

A evolução espiritual resulta das experiências felizes que compartilhamos com as pessoas, por isso é que o amor ao próximo é o único elo que, de fato, nos aproxima de Deus. A postura egoísta nos tira da corrente divina, porque afasta o outro do nosso projeto de felicidade, quando não passa por cima dele para atingir a satisfação dos nossos interesses pessoais. Quando isolamos as pessoas e as prejudicamos em seus interesses e sentimentos, acabamos também nos isolando das bênçãos espirituais e sofrendo os choques de retorno do mal que semeamos.

O egoísmo é resultante do excesso de importância que damos a nós mesmos,[106] razão pela qual Jesus afirmou que os pobres de espírito, isto é, os desapegados das vaidades humanas, é que entrarão no Reino de Deus.[107] Na feliz expressão de Huberto Rohden:

Bem-aventurado esse pobre de ego – e esse rico do Eu. Dele é o reino dos céus.[108]

Para tocar Jesus é preciso desinflar o orgulho, esvaziar as ilusões de que somos superiores aos outros em razão de nossas posses materiais ou do nosso saber intelectual.

---

106 *O Livro dos Espíritos*, questão nº 917, Allan Kardec.
107 Mateus 5, 3.
108 *O Sermão da Montanha*, Martin Claret.

É a hipertrofia do ego que nos faz sofrer, que é a causadora da maioria das nossas doenças, pois impede o nosso acesso ao Reino, cujas portas somente se abrem com as chaves da simplicidade.

As pessoas simples são felizes porque precisam de pouco ou quase nada para se contentar. Em tudo veem beleza e graça, por isso, são naturalmente felizes. Já os orgulhosos precisam de muito para se sentirem felizes, e, geralmente, vivem insatisfeitos, porque nenhuma riqueza da Terra é suficiente para preencher o vazio que trazem na alma, e, assim, precisam de mais e mais posses, mais e mais *status*, mais e mais poder, numa busca infinita.

O Reino de Deus se abre com as chaves da simplicidade e nele somente se vive com amor. O Reino de Deus é o Reino do Amor, pois o Apóstolo João afirmou que aquele que não ama não conhece a Deus, porquanto Deus é amor.[109] Somente a experiência de amar nos propicia a permanência no Reino, garantindo-nos a felicidade que nenhum prêmio da Terra é capaz de nos dar. Chico Xavier costumava dizer às pessoas que se queixavam de vazio existencial que o que lhes faltava era a alegria que vinha do próximo, dando a entender que o egocentrismo nos retira a experiência mais rica da felicidade, que é fazer alguém feliz.

Quando me deparei pela primeira vez com este conceito de que o Reino de Deus estava dentro de nós, logo perguntei a mim mesmo o motivo pelo qual o homem vive tão infeliz, se, dentro dele, Deus colocou tudo o que era preciso para viver bem. A resposta veio em forma de inspiração,

---

[109] 1 João 4, 8.

mostrando-me que o Reino de Deus é um presente que o Pai Celestial colocou em cada um de nós, e que, como todo presente, precisa ser utilizado para fazer sentido em nossa vida. Se você ganha um vestido, o presente só fará alguma diferença em sua vida se você usá-lo. Assim são as virtudes do Reino de Deus que estão dentro de cada um de nós. Somente nos trarão felicidade se as inserirmos em nossos pensamentos, palavras e atitudes.

Este mecanismo de fazer brotar em nós as sementes do Reino está bem exemplificado na conhecida oração de São Francisco.

Senhor, fazei-me instrumento de vossa paz.
Onde houver ódio, que eu leve o amor;
Onde houver ofensa, que eu leve o perdão;
Onde houver discórdia, que eu leve a união;
Onde houver dúvida, que eu leve a fé;
Onde houver erro, que eu leve a verdade;
Onde houver desespero, que eu leve a esperança;
Onde houver tristeza, que eu leve a alegria;
Onde houver trevas, que eu leve a luz.
Ó, Mestre, fazei que eu procure mais
Consolar, que ser consolado;
Compreender, que ser compreendido;
Amar, que ser amado.
Pois, é dando que se recebe,
É perdoando que se é perdoado,
E é morrendo que se vive para a vida eterna.

São Francisco nos ensina a levar amor aonde houver ódio, isto é, exercitar a virtude do Reino de Deus diante daquela situação aflitiva. Mas, geralmente, aonde há ódio temos levado mais ódio ainda, e a nossa vida passa a ser um verdadeiro inferno aqui na Terra mesmo. Quando formos ofendidos, temos que deixar a semente do perdão brotar, e não dar margem às ervas daninhas da vingança, as quais somente impedirão a felicidade em nossa vida.

O Santo de Assis nos mostra quais são as sementes do Reino de Deus que precisamos cultivar: amor, perdão, união, fé, verdade, esperança, alegria e compreensão. Quanto mais dermos vazão a estes sentimentos, mais o Reino de Deus se expandirá em nós, e o resultado prático disso é mais alegria, mais amor, saúde e felicidade.

Os sentimentos de ódio, vingança, descrença, desunião, tristeza, desespero e discórdia nos deixam no reinado do sofrimento. Se a nossa vida está em trevas, Jesus diz que há suficiente luz em nós para sairmos da escuridão. O Reino de Deus está em nós. Olhe para dentro de si mesmo e perceba que você não carece de mais nada para ser feliz, porque o poder de Deus está dentro de você. Você só precisa decidir se vai usá-lo ou continuar sofrendo no reino das trevas.

ORAÇÃO

Divino Amigo Jesus, Você me convidou a entrar no Reino do Pai. Eu não havia me dado conta de que se trata da festa mais importante do mundo! Como me sinto feliz por ter sido convidado! Eu me espanto, porém, que este convite já me tenha sido feito há mais de dois mil anos e eu ainda esteja do lado de fora, esperando não sei o quê! E olha que você nem exigiu atestado de santidade para entrar no Reino; apenas pediu que estivéssemos vestidos de simplicidade e amor. Meu coração se enche de esperança ao saber que, mesmo carregando imperfeições na alma, eu posso entrar na festa pelas portas da transformação interior.

Daqui de fora vejo os convidados que já entraram e posso notar que eles estão felizes, abraçam-se, respeitam-se, ajudam-se. Parecem crianças brincando. Observo que ninguém é melhor do que ninguém, e que os mais iluminados são os que mais servem aos outros. Eu quero entrar nessa festa, amigo Jesus. Que esse Reino venha também a mim. Você me ajuda a entrar?

Assim seja!

Já consegue ir?

> *A mesma coisa é o Cristo diante de nós,*
> *quando nos afastamos do caminho*
> *certo, léguas e léguas.*
> *"Ele não vai atrás, mas vai o cão,*
> *que é o sofrimento..."*
> *Chico Xavier*[110]

Certa feita, o médium Chico Xavier dissertava sobre os perigos do desespero, quando contou uma breve história, cujo desfecho transcrevi acima em destaque. Trata-se de interessante diálogo travado entre um aprendiz e um pastor de ovelhas. O aprendiz queria saber como o pastor deveria agir em certas situações. Fez algumas perguntas e, na última, que deu origem ao comentário do Chico, o aprendiz queria saber como o pastor deveria se comportar, se uma das ovelhas do rebanho fugisse para muito longe. O pastor respondeu que ele não poderia abandonar o rebanho por causa de uma ovelha rebelde e que, neste caso, mandaria um cão buscá-la.

---

[110] *Chico Xavier, À Sombra do Abacateiro*, Carlos A. Baccelli, Ideal Editora.

Chico contou esta passagem para ilustrar a nossa relação com Jesus quando o sofrimento nos visita. Jesus é o pastor e nós, muitas vezes, somos como a ovelha rebelde, que se desgarra do rebanho. Por que somos rebeldes? Porque não queremos seguir o caminho do bem, na medida em que este caminho, na maioria das vezes, implica sacrificar os nossos próprios interesses, e isso é uma coisa que, geralmente, não admitimos. Daí a nossa rebeldia em não aceitar a vida como ela é, pois, via de regra, a vida se apresenta para nós contrariando muitos dos nossos interesses. A rebeldia e a insatisfação estão na raiz de inúmeras doenças, sobretudo das depressões. São feridas da alma que sofre a maior doença espiritual de todos os tempos: o egoísmo.

O egocentrismo nos faz desviar do caminho reto, porque queremos a satisfação dos nossos desejos, custe o que custar, doa a quem doer. E, a partir disso, passamos a agir com injustiça, desamor e falta de caridade em relação ao próximo. Mas a Justiça Cósmica não deixa nenhuma de nossas atitudes sem resposta. Jesus afirmou:

A cada um segundo as suas obras.[111]

Não se trata, obviamente, de castigo aplicado por Deus, mas de um mecanismo de atuação da Justiça Divina visando a educar aquele que se desviou do bem, fazendo-o experimentar em si mesmo o mal que causou ao outro.

O homem de bem, segundo Allan Kardec, é aquele que pratica a lei de justiça, amor e caridade.[112] Se ele está neste

---

111 Mateus 16, 27.
112 *O Livro dos Espíritos*, questão nº 918, Allan Kardec.

caminho, o mal não tem como atingi-lo, porque suas atitudes são boas, e as boas ações são a melhor proteção espiritual que o homem pode ter em sua vida. Mas, se ele se distancia do caminho da justiça, do amor e da caridade, inevitavelmente será vítima do mal que praticou. Foi por esta razão que Paulo escreveu:

Pois o salário do pecado é a morte.[113]

Não é propriamente a morte do corpo, mas a morte da felicidade, a morte da alegria, a morte da saúde e da prosperidade. Entenda-se por pecado todo comportamento em desacordo com as leis divinas. Em regra, o sofrimento de hoje é o retorno do mal que fizemos aos outros, nesta vida ou em vidas passadas. As injustiças que hoje nos ferem são o resultado das injustiças que ontem praticamos. Raramente na Terra encontramos alguém que reencarnou com as mãos limpas. Quase todos nós trazemos um passado de culpas pelo sofrimento que causamos aos outros, muitos dos quais voltaram do passado conosco e, hoje, se encontram no seio da nossa família, na condição de parentes problemáticos.

Mas nem todo sofrimento de hoje tem origem no nosso passado espiritual. Nesta vida mesmo, é provável que encontremos a maioria das causas de nossa infelicidade, se não pelo mal praticado, pelo menos pelo bem que deixamos de fazer. Cada um de nós é também responsável por todo o mal que haja resultado do bem que poderíamos ter praticado.[114]

---

113 Romanos 6, 23.
114 *O Livro dos Espíritos*, questão n° 642, Allan Kardec.

Todo este mal, passado e presente, retorna inevitavelmente à nossa vida em forma de injustiças, doenças, relacionamentos conflituosos, misérias e toda gama de adversidades resultantes do nosso distanciamento do caminho do bem. Amiúde, nestes momentos em que o cão do sofrimento vem nos buscar é que desejamos o socorro de Jesus. E o Mestre, sempre pronto a nos amparar, repete a mensagem de há dois mil anos:

Vinde a mim, todos os que estais cansados e oprimidos, e eu vos aliviarei. Tomai sobre vós o meu jugo, e aprendei de mim que sou manso e humilde de coração; e encontrarei descanso para as vossas almas. Porque o meu jugo é suave e o meu fardo é leve.[115]

Fiquemos atentos ao convite de Jesus: *Vinde a mim*. Por isso, Chico Xavier afirmou que, quando sofremos, Jesus não vem até nós, mas nos convida a irmos até ele para encontrarmos o alívio de nossas dores. Isso não significa que Jesus esteja distante de nós quando sofremos, mas que ele espera uma atitude nossa de irmos à sua procura, não apenas recebermos o bálsamo do alívio, como também para aprendermos com ele a ser humildes e a ter um coração bondoso.

Vamos até Jesus pela oração, por sua busca nos templos religiosos, pela leitura e reflexão de seus ensinamentos, pela fé que depositamos em seu amparo, e ele nos socorrerá com o alívio das nossas dores. Vejamos que o Cristo, até aqui, fala apenas em alívio, que não significa resolução definitiva de nossos problemas. A maioria de nós fica por aqui, sofre e busca alívio em Jesus, mas não quer a cura, pois,

---

115 Mateus 11, 28-30.

para curar, Jesus pede mais do que simplesmente as nossas súplicas.

Não teria sentido praticarmos o mal e, depois, quando a Justiça Divina nos apresentar a conta de nossos equívocos, obtermos simplesmente a quitação de todos os nossos débitos com meia dúzia de orações e penitências e com a frequência ao templo de nossa fé por determinado período de tempo. Isso não seria Justiça nem na Terra e, muito menos, nos Céus! É claro que, com as nossas preces ao Mestre, com a nossa fé e esperança em seu amparo, haveremos de obter o alívio. Mas, para a cura das nossas aflições, Jesus quer algo mais de nós.

Ele quer que aceitemos as suas diretrizes (o seu jugo) e que aprendamos a ser mansos como ele e a ter um coração bondoso como o dele. Nós sofremos porque ainda somos belicosos e orgulhosos. O nosso coração ainda não é como o coração de Jesus. Por isso, não basta tocarmos o Mestre pedindo-lhe o afastamento definitivo de nossas crises, se não estivermos dispostos a ter um coração humilde e bondoso.

Para que o cão não nos leve outra vez diante do Pastor, é preciso dar um passo adiante em nossa relação com o Cristo, aceitando voluntariamente a sua diretriz de amor e humildade para a nossa vida. Em resumo, ficará para nós a indagação feita por Emmanuel:

Em suma, é muito doce escutar o 'Vinde a Mim'. Entretanto, para falar a verdade, já consegues ir?[116]

---
116 *Fonte Viva*, psicografia de Francisco Cândido Xavier, FEB.

ORAÇÃO

Bondoso Jesus, o cão do sofrimento surgiu em minha vida. A dor tem me acompanhado em muitos lances do caminho. Mas hoje aprendi que este cão veio me buscar porque eu me afastei das leis espirituais que você tão bem ensinou, às quais eu, na verdade, nunca dei muita importância. Sempre achei que este assunto era religioso demais para a minha vida, mas eu não compreendia que religiosidade é vida, é paz, é o bem em nós. E, por isso, hoje estou aqui sofrendo. E o cão me encontrou. Eu quero voltar para o seu rebanho, amigo Jesus! Ainda estou com as roupas sujas, com as mãos ensanguentadas. Tenho fome e frio, e o coração gelado. Quero ir até você. Estou cansado de sofrer. Quero o seu alívio, mas quero também a sua cura. Eu aceito o remédio do seu Evangelho. Recebo o seu amor e sinto-me digno outra vez para recomeçar meu caminho, pois não vi em suas mãos nenhuma pedra que me acusasse. Eu jogo fora, também, as minhas pedras, meu orgulho e minha arrogância.

Quero aprender a ser bom, e a sua bondade para comigo é a maior ajuda que eu poderia receber. Em sua amizade eu descanso, em sua humildade eu me aconchego, em seu coração eu volto outra vez a ser feliz.

Assim seja!

Como está o nosso cesto?

Quantos pães vocês têm?
Jesus (Mateus 15, 34)

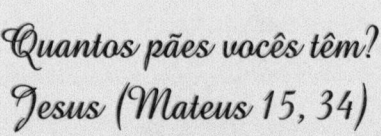

NARRA O EVANGELHO QUE JESUS HAVIA PASSADO TRÊS dias consecutivos com a multidão sofrida, tendo realizado inúmeras curas. Eram mais de quatro mil pessoas que se aglomeravam em torno do Mestre junto ao Mar da Galileia, dentre as quais se encontravam coxos,[117] aleijados, cegos, mudos e outros tantos doentes que eram colocados aos pés de Jesus. E ele curou todos.[118]

Mas, depois de atender muitas pessoas, e pretendendo se retirar, Jesus notou que a multidão estava faminta, e foi assim que ele se expressou aos discípulos:

---
[117] Pessoa que anda firmando o passo mais de um lado que de outro, em decorrência de alguma deficiência física. Aquele que manca.
[118] Mateus 15, 29-30.

Estou com pena dessa gente porque já faz três dias que eles estão comigo e não têm nada para comer. Não quero mandá-los embora com fome, pois poderiam cair de fraqueza pelo caminho.[119]

O Cristo tem compaixão de nós quando vê o sofrimento diminuindo as nossas forças. Ele não nos quer ver caindo de fraqueza pelo caminho, e sempre encontra meios de nos socorrer, pois não é do seu desejo que alguém se sinta abatido quando as dificuldades o atingem.

E foi com este propósito divino que Jesus desejou alimentar aquela multidão. Os discípulos protestaram, indagando ao Mestre:

Como vamos encontrar, neste lugar deserto, comida que dê para toda essa gente?[120]

É assim que também costumamos reagir quando, diante de tantos problemas que nos parecem insolúveis, não vemos nenhuma saída e, até mesmo, duvidamos que Deus possa fazer algo por nós. Mas eu não me canso de repetir este pensamento do Espírito Meimei:

Deus tem estradas onde o mundo não tem caminhos.[121]

Jesus encontrou a estrada. Ele formula aos discípulos a pergunta que abre este capítulo:

Quantos pães vocês têm?

E os discípulos respondem:

Sete pães e alguns peixinhos.

---

119 Mateus 15, 32.
120 Mateus 15, 33.
121 *Amizade*, psicografia de Francisco Cândido Xavier, Ideal Editora.

O Cristo pega o alimento existente, dá graças a Deus e parte os pães e os peixes, entregando-os aos discípulos, e eles fazem a distribuição ao povo, saciando a fome de mais de quatro mil pessoas.[122] E as Escrituras registram que sobraram sete cestos de alimentos. *O amor de Jesus nunca está pobre*, repetia frequentemente Chico Xavier. A comida foi tanta que alimentou mais de quatro mil pessoas e ainda sobraram sete cestos.

Quero destacar mais três ensinamentos que podemos extrair da multiplicação dos pães. O primeiro deles refere-se à conduta de Jesus ao pegar sete pães e alguns peixes e, antes de multiplicá-los, dar graças a Deus. O Mestre nos dá uma bela lição sobre a gratidão. Ele tinha apenas sete pães para alimentar mais de quatro mil pessoas. Jesus não reclama a Deus por ter tão pouco alimento. Ele simplesmente agradece o que tinha em mãos. Dar graças é expressar agradecimento. O Mestre nos ensina sobre o poder da gratidão.

Quem agradece o que tem, não importa o que tem e quanto tem, sempre receberá mais, pela ação da lei de ressonância espiritual anunciada por Jesus:

> *Pois quem tem receberá mais, para que tenha mais ainda. Mas quem não tem, até o pouco que tem lhe será tirado.*[123]

Quem é grato pelo que tem é porque reconhece o que tem, está contente com o que tem, ainda que possa precisar de mais. No entanto, sua conduta mental é positiva, pois

---

122 Mateus 15, 34-37.
123 Mateus 13, 12.

reconhece o quanto já tem e, assim, pela lei de ressonância, receberá mais ainda.

Quem é mal-agradecido, ingrato, é incapaz de reconhecer os bens que já possui e, assim, tendo focalizado aquilo que lhe falta, a lei de ressonância lhe responderá na mesma medida da sua crença, retirando-lhe o que tem. É por isso que a reclamação, a queixa e a ingratidão são grandes obstáculos ao nosso crescimento material e espiritual. Não há prosperidade sem o exercício da gratidão. Jesus, dando graças a Deus por sete pães, obtém a graça de mais de quatro mil pães.

O segundo ensinamento que podemos deduzir da conduta de Jesus resulta da observação de que ele, depois de agradecer a Deus, partiu o alimento antes de multiplicá-lo. É a lição da partilha. Quando dividimos o que temos com os outros, sobretudo com os mais necessitados, sejam eles de ordem material ou de ordem espiritual, Deus multiplica nossos recursos. Disse muito bem Antoine de Saint Exupéry:

> *O amor é a única coisa que cresce à medida que se reparte.*[124]

O Pai Celestial jamais deixará secar a fonte que sacia a sede daqueles que dela se aproximam. Consoante, ensina Bezerra de Menezes:

> *Quanto mais auxiliardes aos outros, mais amplo auxílio recebereis da Vida Mais Alta.*[125]

---

124 *O Pequeno Príncipe*, Editora Agir.
125 *Caridade*, psicografia de Francisco Cândido Xavier, IDE Editora.

O terceiro e último ensinamento que recebemos do Mestre está relacionado ao fato de que, para realizar a multiplicação dos alimentos, Jesus não prescindiu dos sete pães e de alguns peixinhos que os discípulos tinham. É oportuna a reflexão proposta por Emmanuel:

> *Teria o Mestre conseguido tanto, se não pudesse contar com recurso algum? A imagem compele-nos a meditar quanto ao impositivo de nossa cooperação, para que o Celeste Benfeitor nos felicite com os seus dons de vida abundante.*[126]

Se desejarmos tocar o coração de Jesus suplicando-lhe o auxílio para nossas aflições, estejamos certos de que o Amigo Divino haverá de nos perguntar também:

Quantos pães você tem?

Se procurarmos pela multiplicação do amor em nossa vida, careceremos de ter em nosso coração ao menos um pouco de amor para oferecer aos outros. Se precisarmos do perdão de Deus, haveremos também de ter perdoado alguém que nos tenha ferido. Se pedirmos a bênção da saúde, é justo que ofereçamos a Jesus as migalhas de nossa paz, compreensão e tolerância para com os outros.

Enfim, todas as vezes em que suplicarmos as bênçãos a Jesus, verifiquemos antes como está o nosso cesto e o que temos a oferecer ao Mestre, porque ele sempre nos repetirá a indagação:

Quantos pães você tem?

---

126 *Fonte Viva*, psicografia de Francisco Cândido Xavier, FEB.

ORAÇÃO

Mestre Jesus, eu também estou com fome. Fome de amor, de compreensão; fome de saúde, de companhia, de oportunidade. Peço que você possa hoje, mais uma vez, realizar a multiplicação dos pães em minha vida. Eu creio que você pode fazer isso. Mas eu sei que também devo fazer parte deste milagre. Devo agradecer todas as bênçãos de que já disponho, todas as coisas boas que me aconteceram e as coisas ruins que não aconteceram. Estou olhando para a minha vida, procurando encontrar as bênçãos, e noto como sou rico, afortunado. Tenho problemas, sim, porém, tenho muito mais razões para agradecer do que para reclamar. Olho para o meu cesto e tenho poucos pães a lhe oferecer. Mas eu compartilho o que tenho, meus bens, meus talentos e capacidades, com meus irmãos de caminhada. Aprendi com você que dividir é ganhar, repartir é somar. E sei que meu cesto, quando tocado por seu amor e sua vontade, vai se encher de pães e peixes. A fartura, a saúde e a felicidade cairão em minha vida como chuva no deserto, porque aprendi que você traz a vida em abundância para todo aquele que for capaz de transformar seu próprio coração. Obrigado, Jesus, por seu amor que nunca me desampara.

Assim seja.

O que você faz de especial?

Para vencer a náusea, faz o Santo (Francisco de Assis) como se estivesse lavando a Jesus Cristo, põe o pensamento nele, toca as úlceras fétidas, como se tocasse as cinco chagas, pedindo: "Curai-lhe o corpo e a alma, Senhor!"
Maria Sticco[127]

VOCÊ TERIA CORAGEM DE DAR BANHO EM UMA PESSOA que tem o corpo todo coberto por feridas purulentas e fétidas, resultantes de doença infecciosa? Imagine que tal pessoa era um doente de lepra em estágio avançado, um doente que, além das feridas que lhe martirizavam o corpo, tinha um temperamento irascível, que nem os frades franciscanos toleravam, porque se dizia que ele *tinha o diabo no corpo*. Se você for parecido comigo, provavelmente não colocaria as mãos neste enfermo em hipótese alguma. Mas alguém colocou.

São Francisco de Assis foi chamado para atender este irmão, pois ninguém mais o suportava no leprosário. Francisco o envolveu em palavras doces e pacienciosas, mas nada

---

[127] *São Francisco de Assis*, Editora Vozes.

disso foi capaz de acalmá-lo. O Santo de Assis compreendeu que nenhum argumento seria capaz de amenizar o sofrimento daquele irmão. Somente o amor poderia fazer algum milagre. Francisco se faz servo do amor e, dirigindo-se ao leproso, disse humildemente:

Pede o que quiseres, que eu te farei.

Sem nenhuma cerimônia, o doente pede que Francisco lhe banhe o corpo, pois não suportava mais o cheiro podre que as feridas exalavam. Imediatamente, o *pobrezinho* de Assis manda aquecer água com ervas odoríferas. Ele mesmo despiu o doente e começou a banhá-lo com muito carinho e delicadeza, apesar da náusea que sentia. Aquilo talvez não passasse de um banho, mas Francisco transformou aquele momento desagradável em um banho de profunda espiritualidade. Enquanto lavava as feridas do leproso, Francisco se recordava das palavras do Mestre:

Pois eu estava com fome, e vocês me deram comida; estava com sede, e me deram água. Era estrangeiro, e me receberam na sua casa. Estava sem roupa, e me vestiram; estava doente, e cuidaram de mim. Estava na cadeia, e foram me visitar... Quando vocês fizeram isso ao mais humilde dos meus irmãos, foi a mim que fizeram.[128]

Francisco agiu como se estivesse lavando as chagas de Jesus. Desaparecem a náusea, a repulsa e a intolerância, pois o amor nasceu nas mãos do Santo da humildade. E o milagre não tardou:

O pobre enfermo se sente, de fato amado pela primeira vez e já não sofre; esquece a doença, como se as crostas pruriginosas e a fetidez das úlceras houvessem desaparecido

---

[128] Mateus 25, 35-36.

ao toque daquelas mãos maternais e, em vez das chagas do corpo, vê agora as chagas de sua alma, a soberba, a ira, a rebeldia contra Deus, os múltiplos pecados de sua juventude, dos quais vem a lepra, e chora. Chora e suas lágrimas, caindo na água perfumada, curam-lhe corpo e alma."[129]

Francisco tocou Jesus ao banhar as feridas do leproso. Muitas vezes, temos o ímpeto de querer tocar Jesus numa imagem ou escultura. Mas o Cristo não está morto para se esconder em coisas mortas! Cristo está vivo e ele mesmo nos deu a pista de como tocá-lo.

Procure Jesus entre os tristes e leve a eles alegria, e, assim, enxugará as lágrimas do Mestre.

Procure Jesus entre os famintos e alimente-os, e, desta forma, saciará a fome de Jesus por mais solidariedade na face da Terra.

Procure o Cristo entre os doentes, socorrendo-os com os seus recursos, e, desta maneira, colocará remédio nas feridas dos pregos que até hoje continuam martelando Jesus.

Procure o Cristo entre os seus inimigos, doando-lhes a dádiva do perdão, e assim conseguirá tocar-lhe o coração, transpassado pelas lanças do ódio que ainda se derrama sobre o Nazareno.

Jesus sempre estará nos esperando entre as pessoas que nos desafiam a capacidade de amar. São palavras dele:

Amai os vossos inimigos, bendizei os que vos maldizem, fazei bem aos que vos odeiam, e orais pelos que vos perseguem; para que sejais filhos de vosso Pai que está nos céus.[130]

---

129 *São Francisco de Assis*, Maria Sticco, Editora Vozes.
130 Mateus 6, 44-45.

Guardo a certeza de que todos nós temos pessoas difíceis em nossos círculos de convivência. São exigentes, rebeldes, ingratas, trazem úlceras na alma e, muitas vezes, no corpo também. Queremos fugir delas, nos distanciar o mais possível. Mas é entre elas que o Cristo se esconde. O Cristo doente, traído, maltratado e crucificado. É este Jesus que espera ser tocado por nós. Não é o Jesus bonito dos quadros e das esculturas; não é o Jesus dos teólogos; não é Jesus nas Alturas. É o Jesus que habita as trevas; é o Jesus carente do nosso amor; o Jesus criança na manjedoura procurando o calor das nossas mãos; é o Jesus traído querendo o nosso abraço; é o Jesus morto pedindo a nossa vida.

Com o Cristo, o nosso amor precisa ser especial, não o amor das conveniências e facilidades, mas o amor desafiador e destemido. Ele mesmo nos fez uma pergunta que não me sai da cabeça:

Se vocês falam somente com os seus amigos,
o que é que estão fazendo de mais?
Até os pagãos fazem isso![131]

Agora mesmo poderemos tocar Jesus. Ele está tão próximo de nós, mais do que podemos supor. Jesus está na sua casa, no trabalho, na via pública, em cada pessoa infeliz que cruzar o nosso caminho. E não desconsidere que, dentro de nós mesmos, o Nazareno também está presente, todas as vezes em que estivermos caídos pelo sofrimento. A água do banho de São Francisco é a água do amor que cura e liberta. Alguém à sua volta está precisando de um banho, alguém que está bem sujo e ferido. Quem sabe este alguém seja você mesmo!

---

131 Mateus 5, 47.

ORAÇÃO

Mestre amigo, ao refletir sobre a mensagem deste capítulo, fui obrigado a admitir que meu círculo de relacionamentos se restringe à esfera dos meus interesses pessoais. Quantas vezes me afastei das pessoas de difícil trato, daquelas que eu rotulava de 'chatas', 'implicantes' e 'queixosas'! Fugi das pessoas ácidas, afastei-me das outras que só sabiam reclamar da vida e me escondi daquelas que só pediam favores. Só hoje percebi que você estava disfarçado em todas elas. Eu não tinha noção de que tais pessoas estavam doentes do Espírito, como eu mesmo ainda carrego as minhas enfermidades da alma. Com elas eu poderia aprender o que é o amor desinteressado, o amor pelo amor, sem nenhum outro interesse que não seja o bem do próximo. Ajude-me, Mestre, a sair da zona de conforto, onde amo apenas as pessoas que são boas comigo. Limpa a cegueira dos meus olhos, para reconhecer que eu não sou nenhum poço de virtudes e, mesmo assim, você continua me amando e estando ao meu lado, banhando-me com as suas próprias lágrimas nas vezes em que eu tombo pelo orgulho que ainda me envolve. Por que eu não posso fazer o mesmo com o meu próximo? Ensine-me, Jesus, a fazer como Francisco de Assis. Tome minhas mãos, fale por minha boca, olhe por meus olhos e que eu seja, doravante, um espelho do seu amor entre os que tombaram pela dor do sofrimento.

Assim seja!

Conhecer e mudar

> *Quem está unido com Cristo é uma nova pessoa; acabou-se o que era velho, e já chegou o que é novo.*
> *Paulo (2 Coríntios 5, 17)*

Não foi fácil começar a escrever este capítulo! Passei algum tempo olhando para a tela do computador pensando nas palavras do Apóstolo Paulo:

Quem está unido com Cristo é uma nova pessoa.

São palavras de fogo! Uma coisa é ser admirador de Jesus, outra coisa é estar unido a ele. A diferença está no grau de transformação íntima que me permito ter diante da figura de Jesus de Nazaré. Paulo é enfático ao dizer que a união com o Cristo nos torna uma nova pessoa.

As palavras de Paulo nos obrigam a fazer um balanço de nossa vida, exatamente como estou fazendo agora neste capítulo que, provavelmente, é o que está me custando mais a escrever. O que mudou em nós a partir do momento em que tomamos consciência dos ensinamentos de Jesus? Sou uma pessoa que está se renovando ou continuo a mesma de antes?

É claro que não acredito em transformações radicais, feitas da noite para o dia, mas algo em nossa vida precisa ir mudando, a partir do momento em que temos Jesus por nosso Mestre. Como bem escreveu John MacArthur:

> *Depois que a pessoa é regenerada, os antigos sistemas de valores, prioridades, crenças, amores e planos vão-se embora. Mal e pecado ainda estão presentes, mas o cristão os vê sob uma nova perspectiva, e eles não o controlam mais.*[132]

Estar unido a Cristo é fazer com que o eixo central da nossa vida se estabeleça de acordo com a escala de valores e prioridades que ele nos apresentou em seu Evangelho. A tal propósito, Jesus já nos fez esta pergunta, ainda de extrema atualidade:

> *Por que vocês me chamam "Senhor, Senhor" e não fazem o que eu digo?*[133]

Sendo do meu conhecimento que Jesus pede para não julgarmos o próximo, por que insisto em atirar pedras nos outros, se o meu próprio comportamento ainda não é isento de erros? Se Jesus exalta o valor da humildade, por que ainda deixamos o orgulho nos cegar a visão? Tendo Jesus pregado o perdão até no momento da cruz, por que ainda

---

[132] Citação encontrada na obra *100 Versículos favoritos*, Thomas Nelson Editora.

[133] Lucas 6, 46.

nos deixamos levar pelo sentimento de vingança? Se Jesus deixou o amor como o maior dos mandamentos, por que ainda vivemos pensando exclusivamente em nós mesmos?

São perguntas que o próprio Cristo está nos formulando. E não as formula com o propósito de nos agredir. Jesus quer nos ajudar, pois ele revelou para nós os mecanismos de atuação das Leis Divinas. Ser bom para o próximo não é bom somente para o outro; antes de tudo, é bom para mim, porque me põe em equilíbrio com a Lei do Amor, a qual, uma vez ignorada, trará consequências negativas para quem a desconsiderou. É desta forma que poderemos entender as seguintes palavras do Mestre:

Eu vou mostrar a vocês com quem se parece a pessoa que vem e ouve a minha mensagem e é obediente a ela. Essa pessoa é como um homem que, quando construiu uma casa, cavou bem fundo e pôs o alicerce na rocha. O rio ficou cheio, e as suas águas bateram contra aquela casa; porém ela não se abalou, porque havia sido bem construída. Mas quem ouve a minha mensagem e não é obediente a ela é como o homem que construiu uma casa na terra, sem alicerce. Quando a água bateu contra aquela casa, ela caiu logo e ficou totalmente destruída.[134]

Percebemos aqui que há duas etapas no nosso processo de união com o Cristo: ouvir a sua palavra e ser obediente a ela. Precisamos inicialmente conhecer o que Jesus disse e o que ele nos orientou a fazer. A *Bíblia* é o livro mais vendido no mundo, mas creio que não seja o mais lido. Fala-se muito de Jesus; no entanto, estuda-se pouco a sua

---

134 Lucas 6, 47-49.

mensagem. Quando foi a última vez que abrimos o *Novo Testamento* para examinar a palavra do Cristo? Quantas vezes apresentamos esta palavra aos nossos filhos? Mas, curiosamente, depois vamos pedir a Jesus que tire os nossos filhos do caminho das drogas!

Além de conhecer (este é o primeiro passo), carecemos de ser obedientes às palavras do Mestre, como ele mesmo se refere. Não basta ouvir; é preciso seguir, ser praticante da palavra, embora reconheça que isso não seja fácil. Mas também não é fácil emagrecer, quando se está acima do peso; não é fácil adquirir boa forma física, quando se é sedentário; não é fácil entrar numa faculdade de Medicina; não é fácil conquistar uma boa clientela; não é fácil pagar o financiamento da casa própria; não é fácil criar filhos... Mas todo o esforço que é feito para alcançar estas metas é extremamente recompensador. Podemos dizer o mesmo em relação à prática dos ensinamentos de Jesus. Não é fácil, mas compensará todo o esforço que fizermos visando a moldar nossa vida ao que Jesus nos ensinou.

E qual é a recompensa? Um lugarzinho no Céu? Não, seria muito pouco! A recompensa é a de um Céu na própria Terra. Que tal? É o prêmio da felicidade que todos almejamos, embora nem todos a conquistemos, porque vivemos distantes dos ensinamentos de Jesus, os quais podem ser praticados independentemente da religião a que estivermos filiados, e até mesmo se não estivermos vinculados à religião alguma.

Quando vamos ao médico e ele nos prescreve determinado remédio, nós seguimos a orientação porque nos desejamos curar. Às vezes, o remédio é amargo; às vezes precisamos de uma cirurgia, de um regime drástico, mas tudo fazemos para restabelecer a saúde. O mesmo ocorre com Jesus. Ele é o nosso médico espiritual, e nos prescreve uma série de remédios que estão no seu Evangelho, os quais nos protegem contra a doença da infelicidade.

Quantas vezes o nosso médico nos diz:

Você precisa mudar de vida; mudar seus hábitos alimentares; mudar a maneira de encarar os problemas; precisa dormir mais, fazer exercícios...

Com Jesus é a mesma coisa. Ele nos diz no Evangelho:

Você precisa parar de ter ódio, precisa perdoar. Você precisa amar tudo que o cerca, a começar por si mesmo. Procure viver em harmonia com o mundo que o cerca; transforme problemas em soluções; demonstre a sua fé durante as tribulações; aceite as pessoas como elas são; aceite a vida como ela é e faça dela uma experiência bonita.

Quando seguimos a divina orientação do Cristo, nos unimos a ele, estamos com ele e ele está conosco, e isso nos torna mais fortes perante as adversidades. O rio dos problemas pode transbordar, mas a nossa casa não desaba, porque ela foi construída na rocha dos ensinos espirituais de Jesus. E, assim, o passado não tem mais poder sobre nós; o ódio não nos desestabiliza; a mágoa já não nos derruba; a tristeza já não nos domina; o medo não nos paralisa; o pessimismo não mais nos deprime e o egoísmo já não nos isola das pessoas.

É o Cristo que está vivo dentro de nós!

ORAÇÃO

Mestre Jesus, eu sempre o procuro quando as dificuldades surgem em meu caminho. Mas reconheço que não me interesso muito em conhecer o que você ensinou. Esqueço que o único título que reivindicou para si foi o de Mestre. Eu tenho de admitir que, na escola do seu Evangelho, eu tenho fugido das aulas. Porém, eu não quero mais procurá-lo somente quando a dor aparecer. Eu quero aprender com você a maneira acertada de agir para a dor não aparecer. E, mesmo quando ela surgir, eu preciso aprender também a como me libertar do sofrimento. Sinto que, se eu andar mais próximo de você e das orientações que nos traçou, vou viver mais longe da dor.

Já percebi que, quanto mais distante de você, mais longe da felicidade eu estarei. Quero ser um bom aluno daqui em diante. Vou pensar mais no que você nos tem ensinado há tanto tempo, e vou abrir meu coração para estas verdades, que me trarão luz na mente e paz no Espírito. Eu não quero me encontrar com você somente no momento em que o próximo problema surgir. Eu quero estar com você, ainda hoje, para escutar sua voz outra vez no meu coração, falando as verdades que eu preciso saber.

Assim seja!

A maior tentação na Terra

Nem só de pão viverá o homem, mas de toda a palavra que sai da boca de Deus.
Jesus (Mateus 4, 4)

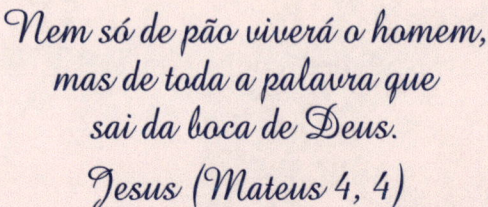

Narram as *Escrituras Sagradas* que Jesus foi conduzido ao deserto para ser tentado pelo diabo. Segundo a concepção espírita, as expressões "diabo", "demônio" ou "satanás" designam Espíritos Imperfeitos, impuros, transitoriamente inclinados ao mal, por causa da rebeldia contra as provas que devem enfrentar. Eles, no entanto, também alcançarão a perfeição, desde que o queiram. Deus não cria seres eternamente voltados ao mal e infelizes para sempre, pois isso seria contrário à sua própria natureza.[135]

O Mestre esteve no deserto durante quarenta dias e quarenta noites, jejuando. E consta que ele teve fome.

---
[135] Para mais esclarecimentos, consulte *O Livro dos Espíritos*, Allan Kardec, questão nº 131.

E, no momento da fome, surge a tentação que o diabo apresenta a Jesus:

Se és filho de Deus, diz para que estas pedras se tornem pães.[136]

E o Cristo respondeu com os dizeres que abrem este capítulo:

Nem só de pão viverá o homem, mas de toda a palavra que sai da boca de Deus.

O diabo desiste, mas passa a tentar Jesus de outra forma. Meditemos a respeito. Nem mesmo Jesus, o Espírito mais perfeito que pisou na Terra, escapou de ser tentado por Espíritos inclinados ao mal. Conosco não poderia ser diferente. Ao contrário, em nós a tentação é sempre mais frequente e perigosa, pois Jesus já era um Espírito puro e nós ainda carregamos muitas imperfeições, as quais funcionam como antenas psíquicas sintonizando o mal. Os Espíritos Imperfeitos querem nos induzir ao mal com o objetivo de nos fazer sofrer tanto quanto eles estão sofrendo.[137] Eles não querem se juntar aos Espíritos Bons, extinguindo o próprio sofrimento; pretendem aumentar a fileira dos Espíritos Maus, levando mais almas para sofrer com eles. Faz todo o sentido, então, esta advertência de Jesus:

Vigiai e orai, para que não entreis em tentação; na verdade, o Espírito está pronto, mas a carne é fraca.[138]

---

136 Mateus 4, 2-3.
137 *O Livro dos Espíritos*, Allan Kardec, questão nº 465.
138 Mateus 26, 41.

Vejamos a sutileza do ataque que as trevas engendraram contra o Mestre: Jesus estava com fome, depois de passar jejuando durante quarenta dias. Imaginemos quão grandes eram a sua fome e fraqueza! Estima-se que uma pessoa não consiga sobreviver sem comida por mais de quarenta e cinco dias. Mas não creio que se chegue a tanto, se essa pessoa estiver jejuando no deserto, cuja temperatura pode variar de 10° negativos à noite até 50° positivos durante o dia. Somente um Espírito do porte de Jesus poderia suportar tamanho estresse físico sem comprometimento da própria vida.

O diabo sabia que Jesus estava faminto. Por isso a proposta foi para que ele transformasse pedras em pães. Qualquer um de nós, provavelmente, faria naquelas circunstâncias qualquer coisa por um pedaço de pão. E como Jesus se livra da tentação? Sobrepondo a vida espiritual à vida material:

Nem só de pão vive o homem, mas de toda a palavra que sai da boca de Deus.

Nós, amiúde, caímos na tentação ao sobrepormos as riquezas materiais aos tesouros espirituais. E é exatamente isso que as trevas desejam para nós: a completa escravidão ao materialismo, que tudo nos promete e nada nos dá.

O materialismo nos diz:

Compre uma casa e seja feliz.

E nós nos matamos para comprar e, depois, constatamos que a felicidade não veio junto com a casa, que ela não está nas paredes, nos móveis, mas no jeito feliz como moramos e convivemos com as pessoas que habitam conosco. Isso é o tesouro espiritual, um bem que não nos garante a felicidade apenas para depois da morte. A casa nova pode nos ter dado melhor conforto, mas não nos propiciou a felicidade, que é um valor espiritual que não se obtém das coisas que possuímos, mas da maneira como somos e vivemos com as coisas que temos e com as pessoas à nossa volta.

Enquanto não nos convencermos disso, iremos adquirindo mais e mais, querendo mais e mais dinheiro, fama, prestígio, poder, para tapar as carências da alma, que somente poderão ser preenchidas com as riquezas espirituais, como amor, carinho, alegria, humildade, solidariedade, perdão, caridade e paz. Mas, como fugimos das riquezas espirituais, tentamos preencher os buracos da alma com atitudes compulsivas, com o uso de álcool, drogas, ansiolíticos e antidepressivos, em doses cada vez maiores. E, nesta busca incessante pelos valores materialistas, que nunca nos fazem verdadeiramente felizes, o diabo vai se divertindo com o nosso sofrimento, sempre nos tentando a transformar pedras em pães.

A felicidade está intimamente associada ao processo de espiritualização do ser humano. Para tanto, Cristo traçou para nós a seguinte diretriz:

> *Não ajuntem riquezas aqui na Terra, onde as traças e a ferrugem destroem, e onde os ladrões arrombam e roubam. Pelo contrário, ajuntem riquezas no Céu, onde as traças e a ferrugem não podem destruí-las, e os ladrões não podem arrombar e roubá-las. Pois onde estiverem as suas riquezas, aí estará o coração de vocês.*[139]

---

[139] Mateus 6, 19-21.

É justo que tenhamos o necessário para uma vida digna, mas qualquer riqueza material improdutiva e egoísta, sem gerar benefícios à coletividade que nos cerca, pode se constituir numa fonte de problemas para nós, não só aqui na Terra, como na vida imortal que nos aguarda. Há de se pensar que estamos de passagem pela Terra e, tão logo deixemos este Plano, todos nos veremos com o saldo da conta dos tesouros espirituais acumulados na experiência terrena. De regresso ao Mundo Espiritual, nossos bens, automaticamente, se transferem de mãos. Só teremos no "mais além" a riqueza do bem que construímos dentro de nós e das pessoas que a vida colocou em nosso percurso. Nenhuma outra moeda tem mais valor no Céu do que o amor que distribuímos na Terra.

Joanna de Ângelis oferece bela lição espiritual para nossa reflexão:

Verdadeiramente, o homem nada possui. Nem a si mesmo ou à sua vida, tornando-se usuário de tudo quanto lhe chega e passa. A descoberta de tal realidade harmoniza-o interiormente e com tudo quanto é temporário, em trânsito para o que é de sabor eterno, que é a sua espiritualização.[140]

O diabo nos tenta às glórias passageiras do mundo.

Jesus nos convida à felicidade eterna da espiritualização de nós mesmos.

---

[140] *Jesus e Atualidade,* psicografia de Divaldo Pereira Franco, Pensamento Editora.

ORAÇÃO

Mestre e amigo, sinto-me como se tivesse experimentado um choque. Um choque de natureza espiritual. Em verdade, nada possuo aqui na Terra. Nada me pertence. Tenho apenas a posse passageira de alguns bens, mas eles de fato não são meus, já que um dia eu devolverei tudo a Deus. Eu me sinto despido, porque nem mesmo meus títulos seguirão comigo para a vida espiritual que me aguarda depois desta passagem pela Terra. Estarei diante da minha consciência apenas com os bens espirituais que eu fui capaz de juntar. Por isso, Jesus, peço nesta oração que você me ajude a ficar atento à necessidade que tenho de ser um bom investidor dos valores espirituais. Ajude-me a vencer a tentação da avareza; alerte-me quando eu agir com egoísmo; auxilie-me para que eu esteja mais preocupado em ser importante do que ser famoso. Eu quero ser importante para as pessoas, porque desejo transmitir a elas o melhor que tenho dentro de mim. Eu não quero ser um astro, por isso, peço que me ajude apenas a ser a luz de uma vela para alguém que esteja na escuridão do sofrimento. Quero ser um milionário da fraternidade; quero conquistar e manter muitos amigos; quero viver rodeado de gente. E, quando eu tiver de deixar esta vida, que eu não deixe nenhum inimigo e que, se possível, os amigos tenham saudade de mim.

Assim seja!

Alguém o espera

*Que desejará o Senhor de mim,
no dia de hoje?*
Chico Xavier[141]

A pergunta feita por Chico Xavier amplia a maneira pela qual nos relacionamos com Jesus. Invariavelmente, quando nos dirigimos ao Mestre, carregamos uma lista de muitos desejos e solicitações, sempre esperando que ele nos atenda. Mas será que já nos passou pelo nosso entendimento que Jesus também tem desejos e solicitações em relação a nós? Sem prejuízo das nossas súplicas ao Cristo, precisamos começar a pensar no que ele deseja de cada um de nós. Esta é a proposta que Chico Xavier nos formula.

---

141 *Chico e Emmanuel*, Carlos A. Baccelli, Didier Editora.

Oramos ao Mestre pedindo bênçãos para a nossa família. É justo que assim façamos. Mas será que já nos perguntamos como Jesus gostaria que fosse o nosso comportamento diante dos familiares, sobretudo daqueles que nos causam maior preocupação? Vamos sondar o coração de Jesus para saber como ele gostaria que tratássemos aquele familiar mais difícil. É que, na maioria das vezes, o Cristo ajudará o parente problemático por intermédio das nossas próprias atitudes. Você já parou para pensar que, antes mesmo de pedir ajuda ao Mestre, ele mesmo providenciou a sua encarnação ao lado daquela pessoa de trato mais difícil, exatamente para ajudá-la a se tornar uma pessoa melhor e, através dessa relação, ajudar você a também ser melhor?

Quantas vezes o filho agressivo age desta forma porque traz dentro de si as marcas do desamor de que foi vítima, nesta vida ou nas vidas passadas? Ninguém é essencialmente mau, apenas ainda não aprendeu a externar a própria bondade por falta de pessoas que exemplificassem o amor. O filho reencarnou em bom estado de saúde física, mas é um doente emocional precisando receber o amor que lhe falta. Provavelmente, nós mesmos lhe sonegamos afeto em existências pretéritas, e agora a vida nos possibilita esse reencontro para que lhe possamos dar o que outrora negamos.

Quem é o filho rebelde que hoje nos enche de preocupação? Emmanuel, Guia Espiritual de Chico Xavier, responde:

O filho rebelde e vicioso é o irmão que arrojamos, um dia, à intemperança e à delinquência.[142]

E a filha desatinada? Novamente é Emmanuel quem explica:

A filha detida nos desregramentos do coração é a jovem que, noutro tempo, induzimos ao desequilíbrio e à crueldade.

Ajudando-os, estaremos reparando o mal que ontem fizemos com bem que deixamos de fazer.

Portanto, o melhor remédio para eles é o nosso amor. Vamos pedir, sim, a Jesus que abençoe os nossos filhos, mas vamos também escutar o desejo de Jesus em relação a nós, ou seja, que amemos o nosso familiar com todas as nossas forças. Jesus o ajudará por nossas próprias mãos. O nosso amor, ainda que pequeno, será a ponte que unirá o coração do nosso filho ao coração do Mestre. Quando amamos no limite de nossas forças, tocamos o coração de Jesus de uma forma tão intensa, que sempre receberemos seu amor como resposta.

Devemos empregar este raciocínio em todas as demais situações da vida. Esta deveria ser a nossa primeira pergunta ao nos levantarmos pela manhã:

Que desejará Jesus de mim no dia de hoje?

Vamos refinar a pergunta, substituindo a palavra "Jesus" pela palavra "amor", como já fizemos em capítulos anteriores. A frase ficará assim:

Que desejará de mim o amor no dia de hoje?

---

[142] *Leis de Amor*, psicografia de Francisco Cândido Xavier, FEESP Editora.

E, para nos ajudar na compreensão do que verdadeiramente seja o amor, já que há tanta confusão a este respeito na atualidade, vamos nos socorrer com Paulo, o Apóstolo, que, em sua *Carta aos Coríntios*, traçou as mais importantes características de quem ama:

Quem ama é paciente e bondoso. Quem ama não é ciumento, nem orgulhoso, nem vaidoso. Quem ama não é grosseiro nem egoísta; não fica irritado, nem guarda mágoas. Quem ama não fica alegre quando alguém faz uma coisa errada, mas se alegra quando alguém faz o que é certo. Quem ama nunca desiste, porém suporta tudo com fé, esperança e paciência.[143]

Então, retomando a pergunta anterior a respeito do que o amor espera de cada um de nós a cada dia, poderíamos dizer que o amor espera que sejamos pacientes, bondosos e alegres. E espera também que não sejamos ciumentos, orgulhos, egoístas, vaidosos e irritados, e que suportemos tudo com fé e esperança. São Paulo traçou para nós o melhor roteiro que conheço sobre a prática de amar. Precisamos ler e meditar sobre este roteiro todos os dias, a fim de que, pouco a pouco, venhamos a incorporá-lo em nossas atitudes.

Jesus deseja que sejamos pacientes em nossas relações interpessoais, não só para o bem das pessoas que convivem conosco, mas para o nosso próprio bem, porque a impaciência crônica assemelha-se a uma bomba de efeitos prejudiciais, que arruína a nossa saúde e os nossos relacionamentos. Precisamos também ser pacientes em

---

[143] 1 Coríntios 13, 4-7.

relação a nós mesmos, pois isso é uma forma de amar a si próprio. Há pessoas tão perfeccionistas e exigentes consigo mesmas, que se atormentam de tal forma com pressões internas, que não conseguem desfrutar um minuto de paz interior.

Da mesma forma, o amor implica bondade. Ninguém ama sendo maldoso. O amor é medido pelos gestos bons que conseguimos externar para o outro. O amor não pode ser apenas uma ideia, uma declaração; antes de tudo, deve ser uma atitude concreta, pois somente assim os outros se sentem amados. Esta bondade também nos deve alcançar. Precisamos ter atitudes benevolentes conosco, pois, muitas vezes, adotamos comportamentos autodestrutivos, colocando em risco a nossa própria vida. Jesus também espera que sejamos bondosos conosco, o que não significa sermos coniventes com nossos próprios erros, mas termos automotivação para assumir condutas saudáveis e felizes para nosso benefício e progresso.

Tendo bondade e paciência, vamos também combatendo o orgulho, o egoísmo e a irritação, este trio de sentimentos negativos capaz de arrasar qualquer promessa de felicidade. Bem disse o Tom Jobim:

*Fundamental é mesmo o amor, é impossível
ser feliz sozinho.*[144]

O trio a que me referi nos levará a uma vida solitária e infeliz, porque ninguém suportará viver por muito tempo com uma pessoa orgulhosa, egoísta e irritada. Jesus deseja que o amor seja fundamental em nossa vida, e, para tanto,

---

144 Trecho da canção *Wave*.

fazer o outro feliz é o maior sinal da presença do amor em nossa vida.

O amor é um compromisso. Mas um compromisso para hoje. Lembremos da pergunta formulada por Chico Xavier:

Que desejará o Senhor de mim, no dia de hoje?

Não é amanhã ou depois. É hoje! Porque o único instante que temos para viver é hoje, é o momento de agora. Por isso Jesus está esperando você tocá-lo agora mesmo. Tocá-lo na pessoa daqueles que seu amor pode alcançar neste momento, pois somente assim o amor penetrará as fibras mais íntimas do seu coração, trazendo-lhe a felicidade que tanto deseja. Não hesite um segundo mais! Feche as páginas deste livro e só volte a abri-lo depois de tocar alguém com o seu amor. É somente isso que Jesus espera de nós: que toquemos o mundo à nossa volta com o nosso amor.

ORAÇÃO

Amigo Jesus, hoje, não venho para pedir algo. Por certo, eu já tenho tudo de que preciso para ser feliz. Mesmo os problemas que enfrento me são portas de crescimento. Eu vivo pedindo a você tantas coisas: quero isso, quero aquilo. Contudo, geralmente não dou atenção àquilo que você me dá. A vida é um presente por si só, e quantas vezes não enxergo isso! Até um problema é um presente, cuja dádiva está oculta, mas não ausente. Meu orgulho, porém, quer tudo pronto, tudo fácil, tudo certinho. E, quando as contrariedades surgem, eu fico nervoso, irritado e agressivo. Acho que eu sou um tremendo revoltado, Meu Amigo! Não percebo que as adversidades são as formas pelas quais Deus está preparando o meu crescimento, e não me dou conta de que você me ensinou com a própria vida a vencer através da fé, da esperança e do amor. Jesus, eu falei que não iria pedir nada, mas eu não resisto... Ajude-me a não ser tão teimoso assim. Tenha paciência comigo, porque eu quero acertar daqui em diante. Vou falhar ainda, é claro. Mas você me entende, não é? Quero ser uma ponte do seu amor para as pessoas que passam por mim. Que elas não saiam da minha presença sem levar um pouquinho da paz que você me dará, se eu estiver disposto a pacificá-las. Que coisa linda, Jesus! Quando eu quero dar alguma coisa boa, Você me enche o Espírito das bênçãos que eu desejo oferecer aos outros. E, assim, antes de dar alguma coisa, fui eu quem recebeu primeiro. Você é maravilhoso, Amigo! Então, agora, eu quero oferecer a você, que me lê neste momento, toda a energia de que esteja precisando. Eu não tenho luz alguma para fazer isso, mas quem está aqui comigo e estará com você neste instante é a luz do próprio Mundo. Assim seja!

Vigiem comigo

> *Aí, os soldados levaram Jesus para o pátio interno do Palácio do Governador e reuniram toda a tropa. Depois, vestiram em Jesus uma capa vermelha e puseram na cabeça dele uma coroa feita de ramos cheios de espinhos. E começaram a saudá-lo, dizendo:*
> *— Viva o Rei dos Judeus!*
> *Batiam na cabeça dele com um bastão, cuspiam nele e se ajoelhavam, fingindo que o estavam adorando. Depois de terem caçoado dele, tiraram a capa vermelha e o vestiram com as suas próprias roupas. Em seguida o levaram para fora, a fim de o crucificarem.*
>
> *Evangelho de Jesus segundo Marcos (15, 16-20)*

Os episódios que antecederam a morte de Jesus foram marcados por atos de extrema injustiça e crueldade. A prisão do Cristo foi tramada a partir da traição de seu discípulo Judas Iscariotes, e bem podemos imaginar o que significa ser traído por um amigo. O ataque de um inimigo chega a ser até compreensível e esperado. Mas a traição de um amigo é um duro golpe, que Jesus não deixou de sentir, sem guardar, porém, qualquer mágoa do amigo equivocado.

Depois, Jesus foi julgado pelo Conselho Sacerdotal (Sinédrio), composto não apenas por sacerdotes, mas, também, por representantes dos fariseus e saduceus. Consta do Evangelho de Marcos que os chefes dos sacerdotes e todo o Conselho estavam procurando encontrar alguma razão jurídica plausível, capaz de levar Jesus à morte. Mas não encontravam um motivo sequer para tal intento.[145] A única saída que o Conselho encontrou para incriminar Jesus consistiu na afirmação do próprio Mestre de que ele era o Messias, o que, para os sacerdotes, representava uma grande blasfêmia. O Sinédrio, então, houve por bem condenar Jesus à morte.

Entretanto, o Conselho não tinha poderes para condenar alguém à morte, pois somente o poder político de Roma poderia fazê-lo. Os sacerdotes levaram Jesus ao Governador Pilatos, que interrogou o Mestre e não viu nada que o incriminasse. Mas o povo, insuflado pelos sacerdotes, pediu a Pilatos que Jesus fosse crucificado. O Governador, querendo agradar ao povo e não se indispor com a classe sacerdotal, lavou as mãos e autorizou a crucificação de Jesus.

A partir de então, Jesus, que já havia sofrido agressões dos guardas do Sinédrio, passou a ser violentamente agredido pelos soldados de Pilatos, conforme descrição do evangelista Marcos, inserida no início deste capítulo. Açoites com os chicotes dentados abriram o corpo de Jesus. A coroa de espinhos, as pauladas no rosto e na cabeça, afora alguns guardas que ainda cuspiam nele... Tudo isso mostra que a condenação do Cristo foi além das dores da crucificação. E o Nazareno sofria em silêncio. Nenhuma palavra se ouvia de seus lábios. Depois de todas as agressões narradas, ainda vieram os pregos da crucificação, nos punhos e nos pés. E, mesmo depois de morto, um soldado ainda perfurou o coração de Jesus com uma lança.[146]

---

145 Marcos 14, 55.
146 João 19, 33-34.

Estas cenas dantescas fazem brotar em mim uma pergunta inquietante: Para nós, cristãos, o sofrimento e a morte de Jesus teriam sido em vão? E, afunilando as indagações, eu me pergunto se todo o calvário que ele enfrentou, sem nenhuma culpa para isso, não me tem sensibilizado o suficiente para agir de forma mais cristã em minha vida... Jesus morreu por sua mensagem de amor e fraternidade entre os homens. E, quanto a mim, tenho me guiado por esta mensagem, deixando crucificar o homem velho, egoísta e orgulhoso que ainda habita em mim?

Será que Jesus não continua sendo crucificado por nós, quando ignoramos a sua mensagem? Creio que ele ainda continua pregado na cruz ao constatar que, apesar de sua mensagem de amor e solidariedade, mais de um bilhão de pessoas no planeta ainda estão morrendo de fome. Imagino que o Nazareno continue recebendo novas coroas de espinhos, ao se deparar com a corrupção campeando na política e nas relações comerciais. O Mestre até hoje recebe cusparadas no rosto, quando encontra os cristãos se digladiando entre si, fomentando discórdias e, muitas vezes, odiando uns aos outros.

O Cristo continua tendo o peito atravessado pelas lanças dos nossos gestos de vingança, ao não aceitarmos o seu ensinamento de *perdoar setenta vezes sete*. Continuamos chicoteando Jesus, quando nos isolamos das pessoas por motivos de raça, religião ou convicção política. O Cristo continua chorando, quando fazemos as pessoas chorarem por nosso comportamento violento.

Como continuar fazendo tudo isso e querer ainda tocar Jesus pedindo-lhe a bênção, se o Mestre continua sofrendo com as nossas loucuras? Será que Jesus continuará sozinho na cruz ou nós também teremos a coragem de tomar a nossa cruz e, a partir dela, transformar o Mundo pela força do nosso amor? Momentos antes de ser preso, Jesus orava no Jardim do Getsêmani. Três discípulos estavam próximos ao Mestre. Ele sabia que, em breves momentos, seria preso, por isso, estava triste e aflito, narram as Escrituras.[147] Depois que voltou da oração, Jesus encontrou os discípulos dormindo, e, provavelmente decepcionado, disse aos seus seguidores:

Será que vocês não podem vigiar
comigo nem uma hora?[148]

Jesus se sentiu sozinho, abandonado pelos próprios discípulos. Esta pergunta de Jesus chega até nós nos dias de hoje. Será que vamos continuar deixando o Cristo sozinho? Vamos continuar dormindo? A obra do amor na face da Terra não é somente de Jesus! A injustiça e o desamor na Terra ainda são gritantes porque nós, cristãos, temos sido omissos. Temos deixado Jesus sozinho.

Nossa vida pessoal também não caminha bem porque vivemos longe dos ensinamentos do Mestre. Se amássemos mais, se perdoássemos mais, se perseverássemos mais, se fôssemos mais caridosos, muita coisa em nossa vida já teria mudado para melhor há muito tempo.

Nós precisamos de Jesus, mas Jesus também precisa de nós. Você está só. Ele também. Não chegou a hora de nos unirmos a ele de uma vez por todas? Não chegou a hora de tirá-lo da cruz?

---

147 Mateus 26, 37.
148 Mateus 26, 40.

ORAÇÃO

Cristo Jesus, as cenas de sua crucificação passam pela minha cabeça. Como foi grande a sua dor! Vejo a agressividade dos guardas, a indiferença do povo, a omissão dos bons, e você pregado na cruz ao lado de dois ladrões, um dos quais acabou sendo convertido por testemunho do seu amor. Eu também tenho a minha cruz, Jesus, porém bem diferente da sua. Eu posso me considerar como aqueles ladrões. Se não roubei bens materiais, creio que tenho subtraído das pessoas esperança, alegria, fraternidade e amor. Por isso, hoje estou carregando a minha cruz. Auxilie-me, Jesus, a vencer como você venceu. Eu quero estar com você hoje mesmo, no paraíso das boas atitudes. Não quero tirar mais nada de ninguém; quero, antes, dar, oferecer o melhor que tenho em mim. A culpa me prega na cruz e o perdão me liberta.

O orgulho é uma chibatada, e somente a humildade é capaz de cicatrizar as feridas deixadas. A revolta diante dos problemas me imobiliza na cruz e a aceitação me impele a tirar a coroa de espinhos. Não quero mais sofrer, Jesus! Você, que saiu da cruz para a vida eterna, ajude-me a também realizar as grandes transformações que eu preciso fazer. Não quero resistir mais, quero mudar o que precisa ser mudado. Você me ajuda, Amigo?

Assim seja!

Até o fim dos tempos

E lembrem-se disto: eu estou com vocês todos os dias, até o fim dos tempos.
Jesus (Mateus 28, 20)

Tais palavras foram ditas quando o Cristo apareceu aos discípulos depois de crucificado. Jesus prometeu que estaria conosco até o fim dos tempos. Foram suas derradeiras palavras, as quais pretendiam semear em nós a confiança de que jamais estaríamos sós em nossa marcha evolutiva. Isto quer dizer que todos os dias Cristo está conosco, olha para nós, pensa em nós, preocupa-se com a nossa vida. A presença dele não é por alguns dias, por alguma temporada. Ele disse que estaria conosco até o fim dos tempos, isto é, para sempre, por toda a eternidade.

Raramente na Terra encontraremos algum amigo assim. Muitas vezes, nosso melhor amigo se afasta na hora em que mais precisamos. Mas Jesus continua conosco.

Às vezes, nossos amigos se ausentam quando tropeçamos e, de amigos, passam a ser nossos inimigos. Mas Jesus não vira a cara para nós quando caímos. Ao contrário! Ele permanece ao nosso lado e nos estende a mão para nos levantar. Nossos amigos muitas vezes mudam de humor em relação a nós, mas Jesus continua nos amando, imperturbavelmente. Nossos amigos mudam de tempos em tempos, porém Jesus nos oferece sua amizade sem prazo de validade.

Ser nosso amigo foi uma decisão que o próprio Cristo tomou:

Eu não chamo mais vocês de empregados, pois o empregado não sabe o que o seu patrão faz; mas chamo vocês de amigos, pois tenho dito a vocês tudo que ouvi do meu Pai.[149]

Então, se temos um amigo fiel e constante, não poderemos dizer que estamos abandonados. Jesus nos conhece pelo nome, sabe quem somos e aquilo de que precisamos. Ele afirmou que era o "Bom Pastor", que conhecia todas as suas ovelhas e que estava pronto a morrer por elas.[150] Você tem algum amigo disposto a morrer por você? Provavelmente, não. Mas Jesus já fez isso por nós.

Por isso, Cristo é o nosso amigo nas horas difíceis e se acha ao nosso lado, inspirando-nos os caminhos que deveremos seguir para a solução de nossos conflitos. Afirma a benfeitora Joanna de Ângelis:

---
149 João 15, 15.
150 João 10, 11-15.

Em Jesus sempre encontraremos a pedagogia mais segura para o comportamento ideal diante das situações agressivas destes e de todos os dias tumultuosos.[151]

Creio, sinceramente, que poderemos sentir a presença de Jesus próximo a nós. Se orarmos com humildade e fé, sentiremos que ele está ao nosso lado e que, em circunstâncias inesperadas, nos aconselhará através dos lábios de um amigo ou parente; de um desconhecido com quem travamos despretensioso diálogo; de um livro que nos chega às mãos; de uma inspiração que nos vem do Mundo Espiritual; de uma canção que sintonizamos por acaso no rádio. Enfim, Jesus tem mil modos de nos falar e socorrer.

Basta que desejemos o seu concurso, que reflitamos sobre suas lições em nossa vida (as quais se constituem para nós o melhor roteiro de libertação do sofrimento), que sua luz inapagável brilhe para nós. Eu confesso que, em algumas circunstâncias difíceis da minha vida, Jesus falou comigo pela boca de mendigos a quem eu me propusera a ajudar e a quem, vergonhosamente, eu não dava nenhum valor.

Será que Jesus não está falando com você por meio das páginas deste livro? Por favor, não imagine que eu seja algum emissário divino! Não! Sou um mendigo espiritual, mas um mendigo com vontade de falar sobre aquilo em que o Mestre me tocou ao longo deste livro. Você não está com este volume nas mãos por obra do acaso. Quando

---
151 *Jesus e Vida*, psicografia de Divaldo Pereira Franco, Leal Editora.

você abriu estas páginas, querendo modificar algo em sua vida, você tocou o coração de Jesus!

Em mais algumas linhas, este livro chegará ao fim. Mas a sua história com Jesus talvez esteja apenas começando. O Mestre nos conhece desde quando ainda nem tínhamos noção de nós mesmos. Quando a Terra começou a ser formada, Jesus aqui já estava presidindo tudo o que acontecia. Foi ele quem autorizou a sua entrada no Planeta, ele é quem nos tem permitido voltar aqui para recapitular experiências. Ninguém nos ama como ele. Ninguém consegue conceber melhores caminhos para nós do que aqueles que ele traçou em seu Evangelho, e que eu, com todas as minhas imperfeições, tentei relembrar ao longo deste singelo livro.

Uma emoção muito grande me invade neste momento... As lágrimas brotam dos meus olhos. Sinto que, de algum lugar, Jesus me sonda. Ele me procura desde a noite dos tempos. Seu olhar meigo e profundo penetra os pontos mais secretos de minha alma. Como o Mestre me conhece! E, por meio das páginas despretensiosas deste livro, Jesus chegou até você também. Ele também o procura há tanto tempo! Espera uma simples brecha para tocar seu coração, mas esperando também ser tocado por você. Então, que nós dois, juntos, possamos orar e cantar esta canção a Jesus:[152]

---

[152] Música intitulada *Sonda-me*, de Aylton Paulo Simonetti e Alison da Silva Ambrósio.

Senhor,
Eu sei que tu me sondas
Sei também que me conheces
Se me assento ou me levanto
Conheces meus pensamentos
Quer deitado ou quer andando
Sabes todos os meus passos
E antes que haja em mim palavras
Sei que em tudo me conheces
Senhor, eu sei que tu me sondas
Deus, tu me cercaste em volta
Tuas mãos em mim repousam
Tal ciência, é grandiosa
Não alcanço de tão alta
Se eu subo até o céu
Sei que ali também te encontro
Se no abismo está minh'alma
Sei que aí também me amas
Senhor, eu sei que tu me sondas
Senhor, eu sei que tu me amas

ORAÇÃO

Amigo Jesus, na derradeira oração deste livro, eu quero orar em favor de todas as pessoas que tiveram algum contato com estas páginas. Peço, humildemente, que seu amor se derrame sobre todos. Peço ao seu coração, não por méritos, que não possuo, que as palavras deste singelo livro se transformem em gotas do seu amor por nós. E que os doentes se curem; que os desesperados recuperem a esperança em dias melhores; que os descrentes recuperem a fé. Suplico que você não nos deixe, mesmo nos momentos em que nossos atos neguem tudo aquilo que já sabemos de sua mensagem. Que cada irmão, ao se deparar com as ideias deste livro, possa se achegar mais ao seu coração. Eu me darei por satisfeito, se eu conseguir pelo menos reavivar a sua lembrança no coração de alguém que o tinha esquecido. Perdoe, Jesus, as minhas imperfeições tão grandes, que, ao, longo dos séculos, ainda estão aqui, gritando dentro de mim. Escrever este livro foi uma tentativa de me ajudar a ser melhor do que tenho sido. Creio que somente por isso você me autorizou a escrever, pois, na verdade, nenhuma condição espiritual eu tenho para aconselhar a quem quer que seja. Entrego este livro em suas mãos, Jesus amigo, para que você, se assim julgar útil, possa fazê-lo chegar a outras mãos tão carentes e necessitadas quanto as minhas.

Assim seja!

Referências Bíblicas citadas neste livro

Bíblia Sagrada, Nova Tradução na Linguagem de Hoje, Paulinas.

A Bíblia Sagrada, tradução de João Ferreira de Almeida, Sociedade Bíblica do Brasil.

Bíblia de Jerusalém, Paulus.

Bíblia Sagrada, tradução da Conferência Nacional dos Bispos do Brasil, Editora Canção Nova.

Bíblia Sagrada, Nova Versão Internacional, Editora Vida.

A Bíblia na Linguagem de Hoje, O Novo Testamento, Sociedade Bíblica do Brasil.

José Carlos De Lucca

É juiz de direito em São Paulo desde o ano de 1989. Ainda pequeno sentiu profundo impulso para o estudo de temas ligados à espiritualidade, desenvolvendo seus potenciais no campo da mediunidade de consolo e esclarecimento.

Já realizou graciosamente mais de 3.500 palestras focadas em motivação e desenvolvimento do potencial espiritual do ser humano, falando a um público estimado em mais de 3 milhões de pessoas.

Seus livros já venderam mais de **1 milhão de exemplares**.

Todos os direitos autorais de seus vinte e sete livros publicados até o momento foram cedidos a entidades filantrópicas, cuja renda ajuda a manter mais de 100 mil pessoas necessitadas.

Fundou, juntamente com outros amigos, o *Grupo Espírita Esperança* (grupoesperanca.com.br), e juntos trabalham na divulgação e prática do Espiritismo, promovendo o potencial de luz de cada um de nós como a mais excelente terapia para os sofrimentos humanos.

A convite do SBT - Sistema Brasileiro de Televisão, participou do programa que elegeu Chico Xavier *O Maior Brasileiro de Todos os Tempos.*

Apresenta programas semanais:
na Rádio Vibe Mundial o programa *Cura e Libertação.*
(radiomundial.com.br);
na Rádio Rio de Janeiro o programa *Sempre Melhor.*
(radioriodejaneiro.am.br);
na Web Rádio Fraternidade o programa *Conversa Amiga.*
(radiofraternidade.com.br).

jcdelucca.com.br
@josecdelucca
orador.delucca
José Carlos De Lucca
Podcast José Carlos De Lucca

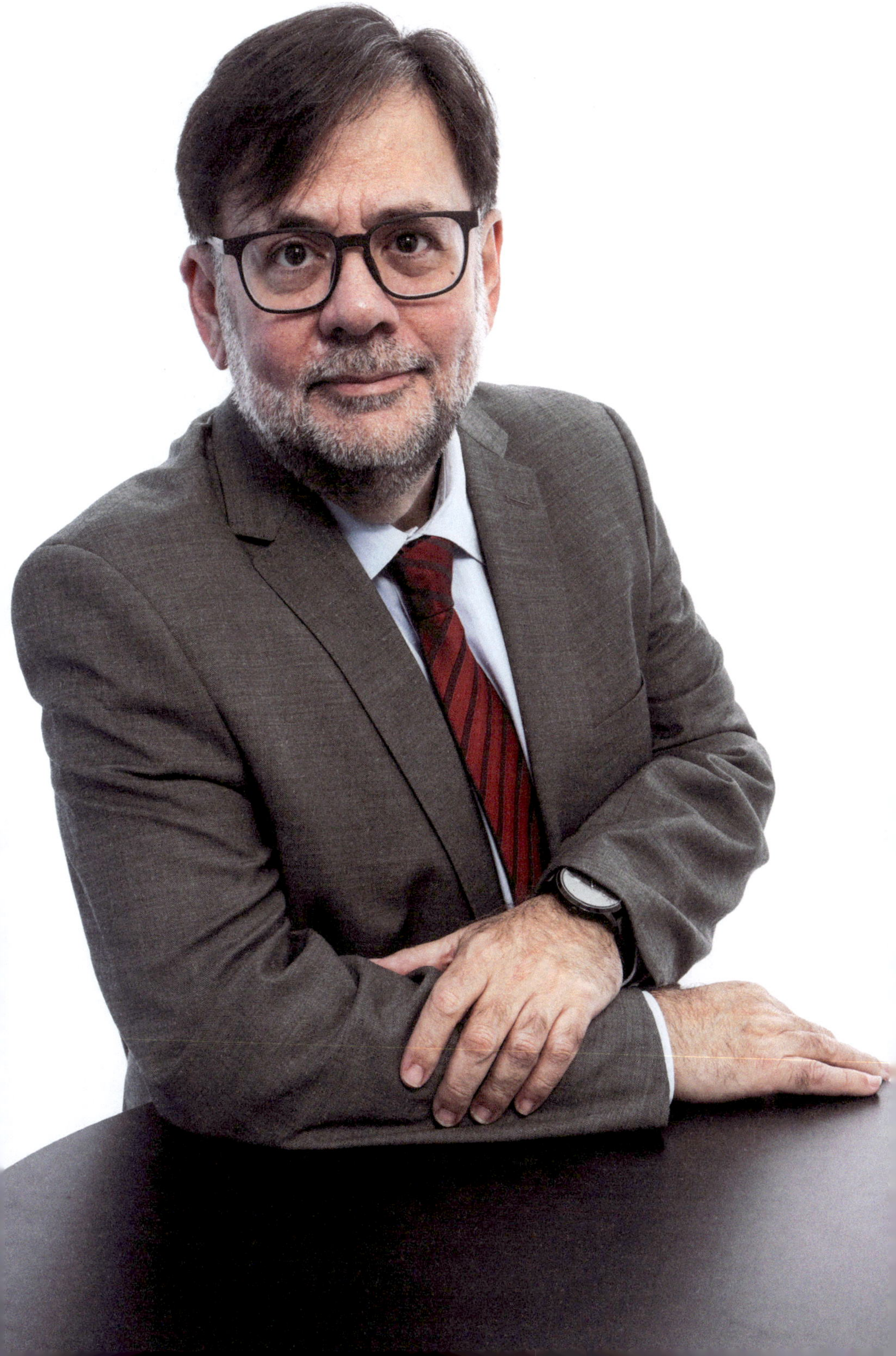

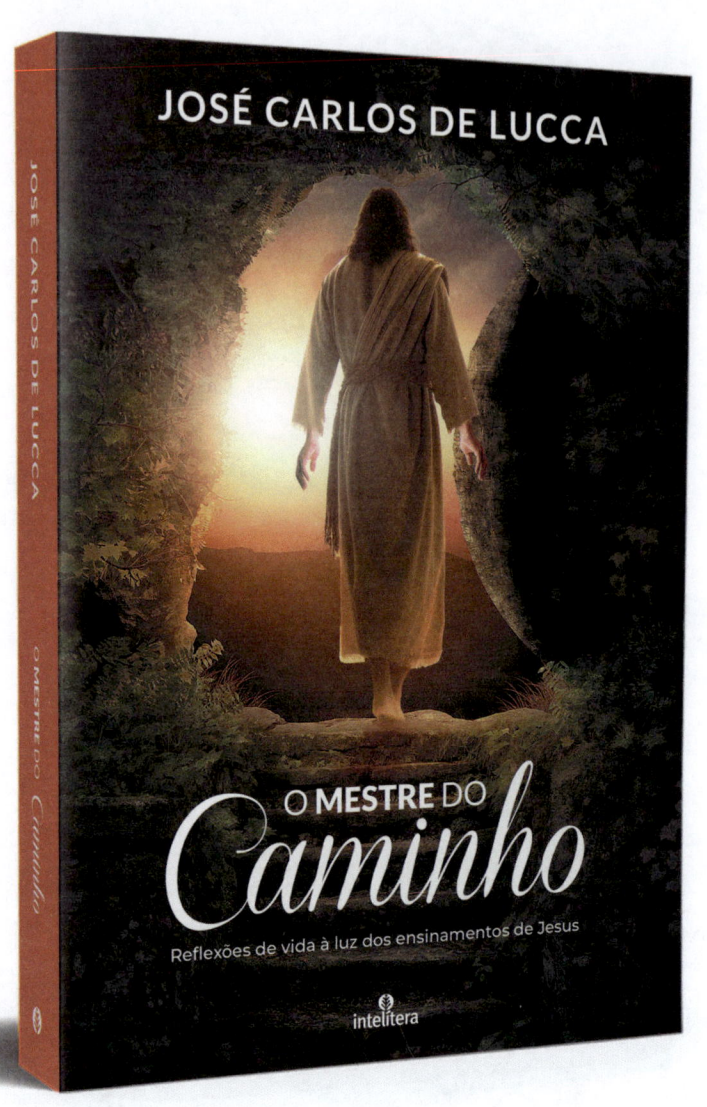

O Mestre do Caminho
José Carlos De Lucca

Há mais de dois mil anos, um homem extraordinário esteve entre nós. Até os 30 anos ele viveu numa aldeia muito simples. Nasceu em berço de palha, não pertenceu à elite religiosa ou política de sua época. Não escreveu livros, nem fundou qualquer religião. Viveu, porém, a mais linda história de amor à Humanidade.

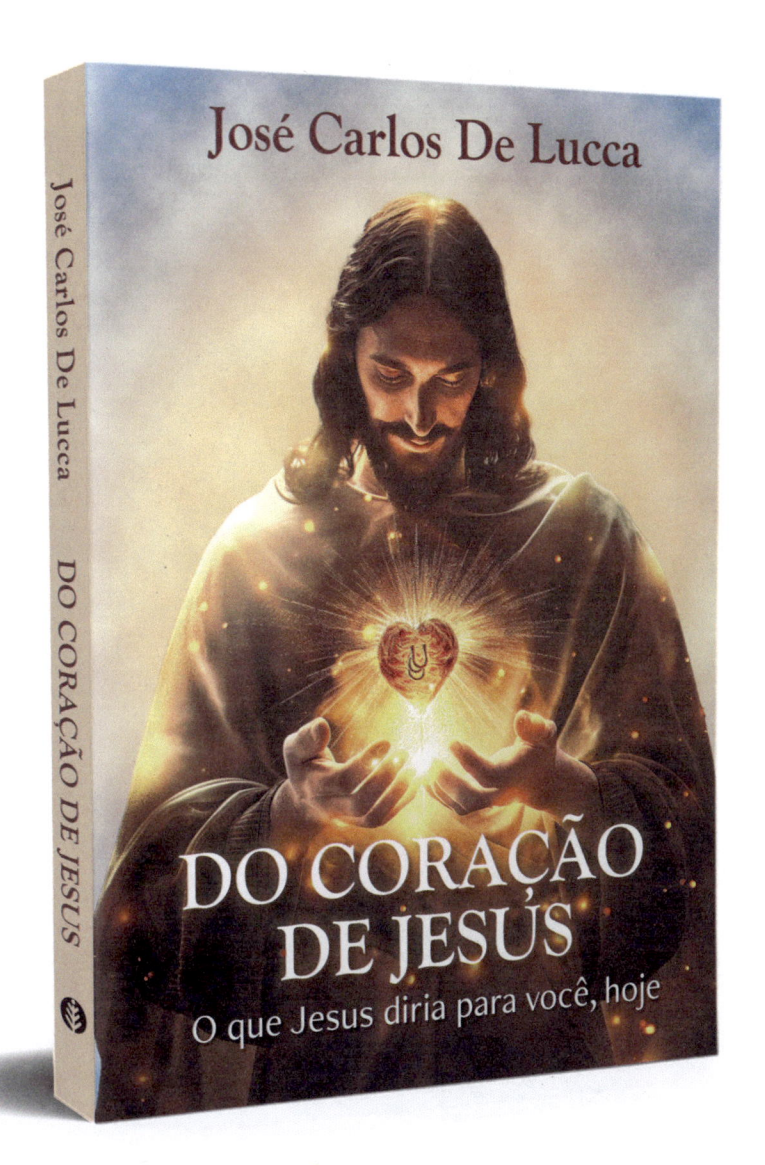

Do Coração de Jesus
José Carlos De Lucca

Cada página desta obra é uma conversa no sofá da sala, no corredor do hospital, na entrevista de emprego, na estação do adeus, quando alguém parte do nosso convívio físico; nas calçadas da vida, onde perambulamos, muitas vezes desesperançados.

Simplesmente Francisco
José Carlos De Lucca

Este livro apresenta o Francisco, de carne e osso, gente como a gente, gentil, alegre, mas também naturalmente frágil, que enfrentou dúvidas e conflitos, levando o leitor a compreender que a santidade de Francisco foi construída na rocha de sua humanidade.

O autor cedeu os direitos autorais deste livro ao Grupo Espírita Esperança.
Rua Moisés Marx, 1.123, Vila Aricanduva, São Paulo, SP.
Tel.: (11) 99412-0609 - www.grupoesperanca.com.br

Editores: *Luiz Saegusa* e *Claudia Zaneti Saegusa*
Direção Editorial: *Claudia Zaneti Saegusa*
Capa: *Thamara Fraga*
Imagem da Capa: *Thamara Fraga.*
Obra criada especialmente para o livro "Alguém me tocou"
Projeto gráfico e diagramação: *Casa de Ideias*
Revisão: *Miriam Dias*
Finalização: *Mauro Bufano*
17ª Edição: *2024*
Impressão: *Lis Gráfica e Editora*

Dados Internacionais de Catalogação na Publicação (CIP)
(Câmara Brasileira do Livro, SP, Brasil)

De Lucca, José Carlos
  Alguém me tocou / José Carlos De Lucca.
- - 1. ed. -- São Paulo : Intelítera Editora, 2012.

Bibliografia.

1. Espiritismo 2. Jesus Cristo - Ensinamentos 3. Jesus Cristo - Interpretações espíritas 4. Vida espiritual
I. Título.

12-10636   CDD-133.901

Índices para catálogo sistemático:

1. Jesus Cristo: Ensinamentos: Interpretações espíritas: Doutrina espírita
133.9

ISBN: 978-85-63808-19-6

intelítera
editora

Rua Lucrécia Maciel, 39 - Vila Guarani
CEP 04314-130 - São Paulo - SP
(11) 2369-5377 (11) 93235-5505
intelitera.com.br | facebook.com/intelitera | instagram.com/intelitera

Para receber informações sobre nossos lançamentos, títulos e autores, bem como enviar seus comentários, utilize nossas mídias:

- intelitera.com.br
- atendimento@intelitera.com.br
- youtube.com/inteliteraeditora
- instagram.com/intelitera
- facebook.com/intelitera

Redes sociais do autor:

- jcdelucca.com.br
- youtube.com/José Carlos De Lucca
- instagram.com/josecdelucca
- facebook.com/orador.delucca
- spotify/Podcast José Carlos De Lucca

Esta edição foi impressa pela Lis Gráfica e Editora no formato 155 x 225mm. Os papéis utilizados foram o Off Set 90g/m² para o miolo e o papel Cartão Eagle Plus High Bulk GC1 Lt 250 g/m² para a capa. O texto principal foi composto com a fonte Sabon LT Std 13/18 e os títulos com a fonte Didot 64/70.